초능력 수학 연산을 사면
초능력⁺쌤이 우리집으로 온다!

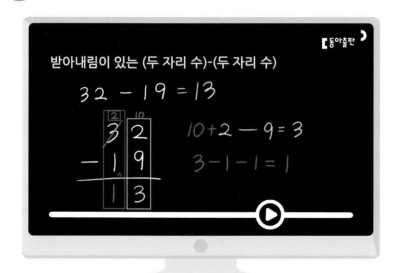

받아내림이 있는 (두 자리 수)-(두 자리 수)

$$32 - 19 = 13$$

$$10 + 2 - 9 = 3$$
$$3 - 1 - 1 = 1$$

자꾸 연산에서 실수를 해요.
도와줘요~ 초능력 쌤!

연산에서 자꾸 실수를 하는 건 연산 원리를
제대로 이해하지 못했기 때문이야.

연산 원리요?
어떻게 연산 원리를 공부하면 돼요?

이제부터 내가 하나하나 알려줄게.
지금 바로 무료 스마트러닝에 접속해 봐.

와~!

초능력 쌤이랑 공부하니 제대로 연산
기초가 탄탄해지네요!

📶 초능력 수학 연산 무료 스마트러닝 접속 방법

방법 1

방법 2

동아출판 홈페이지 www.bookdonga.com에 접속하면 초능력 수학 연산 무료 스마트러닝을 이용할 수 있습니다.

핸드폰이나 태블릿으로 **교재 표지나 본문에 있는 QR코드**를 찍으면 무료 스마트러닝에서 연산 원리 동영상 강의를 이용할 수 있습니다.

초능력 쌤과 키우자, 공부힘!

국어 독해 P~6단계(전 7권)

- 하루 4쪽, 6주 완성
- 국어 독해 능력과 어휘 능력을 한 번에 향상
- 문학, 사회, 과학, 예술, 인물, 스포츠 지문 독해

비주얼씽킹 한국사 1~3권(전 3권)

- 한국사 개념부터 흐름까지 비주얼씽킹으로 완성
- 참쌤의 한국사 비주얼씽킹 동영상 강의
- 사건과 인물로 탐구하는 역사 논술

맞춤법+받아쓰기 1~2학년 1, 2학기(전 4권)

- 쉽고 빠르게 배우는 맞춤법 학습
- 매일 낱말과 문장 바르게 쓰기 연습
- 학년, 학기별 국어 교과서 어휘 학습

비주얼씽킹 과학 1~3권(전 3권)

- 교과서 핵심 개념을 비주얼씽킹으로 완성
- 참쌤의 과학 개념 비주얼씽킹 동영상 강의
- 사고력을 키우는 과학 탐구 퀴즈 / 토론

수학 연산 1~6학년 1, 2학기(전 12권)

- 정확한 연산 쓰기 학습
- 학년, 학기별 중요 단원 연산 강화 학습
- 문제해결력 향상을 위한 연산 적용 학습

★ 연산 특화 교재

- 구구단(1~2학년), 시계·달력(1~2학년), 분수(4~5학년)

급수 한자 8급, 7급, 6급(전 3권)

- 하루 2쪽으로 쉽게 익히는 한자 학습
- 급수별 한 권으로 한자능력검정시험 완벽 대비
- 한자와 연계된 초등 교과서 어휘력 향상

초능력 수학 연산
학습 플래너

스스로 학습 계획을 세우고 달성하면서
수학 연산 실력 향상은 물론
연산을 적용하는 힘을 키울 수 있습니다.

이 책을 학습한 날짜와 학습 결과를 체크해 보세요.

DAY	공부한 날		확인	DAY	공부한 날		확인
01	월	일	☺☹	29	월	일	☺☹
02	월	일	☺☹	30	월	일	☺☹
03	월	일	☺☹	31	월	일	☺☹
04	월	일	☺☹	32	월	일	☺☹
05	월	일	☺☹	33	월	일	☺☹
06	월	일	☺☹	34	월	일	☺☹
07	월	일	☺☹	35	월	일	☺☹
08	월	일	☺☹	36	월	일	☺☹
09	월	일	☺☹	37	월	일	☺☹
10	월	일	☺☹	38	월	일	☺☹
11	월	일	☺☹	39	월	일	☺☹
12	월	일	☺☹	40	월	일	☺☹
13	월	일	☺☹	41	월	일	☺☹
14	월	일	☺☹	42	월	일	☺☹
15	월	일	☺☹	43	월	일	☺☹
16	월	일	☺☹	44	월	일	☺☹
17	월	일	☺☹	45	월	일	☺☹
18	월	일	☺☹	46	월	일	☺☹
19	월	일	☺☹	47	월	일	☺☹
20	월	일	☺☹	48	월	일	☺☹
21	월	일	☺☹	49	월	일	☺☹
22	월	일	☺☹	50	월	일	☺☹
23	월	일	☺☹	51	월	일	☺☹
24	월	일	☺☹	52	월	일	☺☹
25	월	일	☺☹	53	월	일	☺☹
26	월	일	☺☹	54	월	일	☺☹
27	월	일	☺☹	55	월	일	☺☹
28	월	일	☺☹	56	월	일	☺☹

이렇게 활용하세요.

공부한 날에 맞게 날짜를 쓰고
학습 결과에 맞추어 확인란에 체크합니다.

예

DAY	공부한 날		확인
01	1 월	2 일	☺

초능력 **수학 연산** 칸 노트 활용법

중학교, 고등학교에서도 초등학교 때 배운 수학 연산을 바탕으로 새로운 지식을 배우게 됩니다.
수학 연산에서 가장 중요한 것은 정확성입니다.
계산 실수를 하지 않는 습관을 들이는 것이 가장 중요합니다.

 1 단계 바른 계산 원리 이해

원리 단계에서 칸 노트에 제시된 문제를 해결하면서 바른 계산 원리를 이해합니다.

11		5	2	6		**18**		3	6	9
	+	1	7	2			+	4	2	0
		6	9	8				7	8	9

 2 단계 바른 계산 연습

연습 단계에서 제시된 가로셈 문제를 직접 **정확성 UP!** 칸 노트에 세로셈으로 옮겨 쓰고,
자릿값에 맞추어 계산하면서 바른 계산을 연습합니다.

21 $581 + 414 = 995$

22 $842 + 152 = 994$

정확성 **up!**

```
    5 8 1
  + 4 1 4
    9 9 5
```

 3 단계 적용 문제 해결

적용 단계에서 제시된 적용 문제를 가로셈으로 나타낸 다음 다시 **정확성 UP!** 칸 노트에
세로셈으로 옮겨 쓰고, 자릿값에 맞추어 계산하면서 문제해결력을 강화합니다.

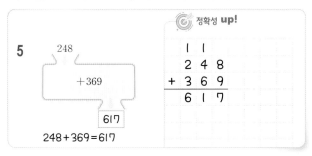

5 248 +369 617

$248 + 369 = 617$

정확성 **up!**

```
  1 1
  2 4 8
+ 3 6 9
  6 1 7
```

바른 계산, 빠른 연산!

초능력

수학 연산

초등 수학

5·2

5학년 2학기
연계 학년 단원 구성

교과서 모든 영역별 계산 문제를 단원별로 묶어
한 학기를 끝내도록 구성되어 있어요.

이럴 땐 이렇게 교재를 선택하세요.

1. 해당 학기 교재 단원 중 어려워하는 단원은 이전 학기 교재를 선택하여 부족한 부분을 보충하세요.

2. 해당 학기 교재 단원을 완벽히 이해했으면 다음 학기 교재를 선택하여 실력을 키워요.

5학년 2학기

5학년 1학기

단원	학습 내용
1. 자연수의 혼합 계산	덧셈과 뺄셈이 섞여 있는 식의 계산, 곱셈과 나눗셈이 섞여 있는 식의 계산, 덧셈, 뺄셈, 곱셈, 나눗셈이 섞여 있는 식의 계산
2. 약수와 배수	약수, 배수, 최대공약수와 최소공배수 구하기
3. 약분과 통분	약분, 통분, 두 분수의 크기 비교, 분수와 소수의 크기 비교
4. 분수의 덧셈과 뺄셈	진분수의 덧셈, 대분수의 덧셈, 진분수의 뺄셈, 대분수의 뺄셈
5. 다각형의 둘레와 넓이	정다각형과 사각형의 둘레와 넓이, 평행사변형과 삼각형의 넓이, 마름모와 사다리꼴의 넓이

단원	1. 수 어림하기
학습 내용	❶ 올림 ❷ 버림 ❸ 반올림

6학년
1학기

단원	학습 내용
1. 분수의 나눗셈	(자연수)÷(자연수), (진분수)÷(자연수), (가분수)÷(자연수), (대분수)÷(자연수)
2. 소수의 나눗셈	(소수)÷(자연수)의 계산 방법, (소수)÷(자연수), (자연수)÷(자연수)
3. 비와 비율	비로 나타내기, 비율로 나타내기, 비율을 백분율로 나타내기, 백분율을 비율로 나타내기
4. 직육면체의 부피와 겉넓이	직육면체와 정육면체의 부피, 직육면체와 정육면체의 겉넓이

2. 분수의 곱셈	3. 소수의 곱셈	4. 평균
❶ (진분수)×(자연수)	❶ (1보다 작은 소수)×(자연수)	
❷ (대분수)×(자연수)	❷ (1보다 큰 소수)×(자연수)	
❸ (자연수)×(진분수)	❸ (자연수)×(1보다 작은 소수)	
❹ (자연수)×(대분수)	❹ (자연수)×(1보다 큰 소수)	❶ 평균 구하기
❺ (진분수)×(진분수)	❺ (1보다 작은 소수)×(1보다 작은 소수)	
❻ (대분수)×(대분수)	❻ (1보다 큰 소수)×(1보다 큰 소수)	
❼ 세 분수의 곱셈	❼ 곱의 소수점의 위치	

이런 점이 좋아요!

▶ **학습 플래너 관리**

학습 플래너에 스스로 학습 계획을
세우고 달성하면서 규칙적인 학습 습관을
키우도록 합니다.

▶ **특화 단원 집중 강화 학습**

학년, 학기별 중요한 연산 단원을 집중 강화
학습할 수 있도록 구성하여 연산력을
완성합니다.

▶ **정확성을 길러주는 연산 쓰기 연습**

기계적으로 단순 반복하는 연산 학습이 아닌
칸 노트를 활용하여 스스로 정확하게 쓰는
연습에 집중하도록 합니다.

▶ **연산 능력을 문제에 적용하는 학습**

연산을 실전 문제에 적용하여 풀어볼 수 있어
연산력 뿐만 아니라 수학 실력도 향상시킵니다.

이렇게 **구성**되어 있어요!

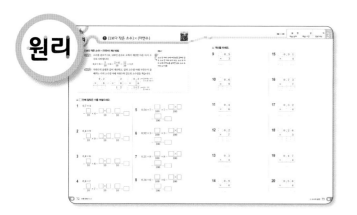

원리

학습 내용별 연산 원리를 문제로 설명하여
계산 원리를 스스로 익힙니다.

QR코드를 스마트폰으로 찍으면
연산 원리 동영상 강의를 무료로
학습할 수 있습니다.

연산 원리 동영상 강의

연습

학습 내용별 원리를 토대로 문제를 해결하면서
연습을 충분히 합니다.

실력 up
연산이 적용되는 실전 문제를
해결하면서 수학 실력을 키웁니다.

정확성 up!
칸 노트를 활용하여 자릿값에 맞추어
문제를 쓰고 해결하면서
정확성을 높입니다.

	2	5	1
+	7	3	1
	9	8	2

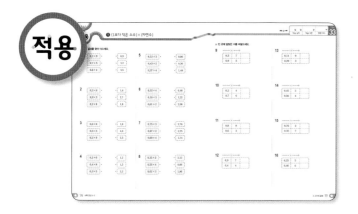

적용

학습 내용별 충분히 연습한 연산 원리를
유연하게 조작하여 스스로 문제를 해결하는
능력을 키웁니다.

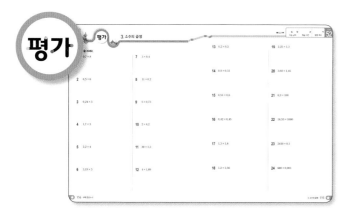

평가

학습 내용별 연습과 적용에서 학습한 내용을
토대로 한 단원의 내용을 종합적으로
확인합니다.

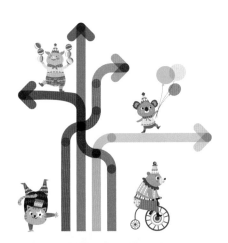

차례

1 수 어림하기

학습 계획표

학습 내용	원리	연습
❶ 올림	Day 01	Day 02
❷ 버림	Day 03	Day 04
❸ 반올림	Day 05	Day 06
적용	Day 07	
평가	Day 08	

학습 관리 tip 맨 앞장의 학습 플래너를 이용하여 학습 스케줄을 관리하도록 하세요!

원리

❶ 올림

◉ 올림

구하려는 자리 아래 수를 올려서 나타내는 방법을 올림이라고 합니다.

㉖ • 267을 올림하여 십의 자리까지 나타내기

$$267 \Rightarrow 270$$

└→ 십의 자리 아래 수인 7을 10으로 봅니다.

• 3.205를 올림하여 소수 첫째 자리까지 나타내기

$$3.205 \Rightarrow 3.3$$

└→ 소수 첫째 자리 아래 수인 0.005를 0.1로 봅니다.

> **뿡뿡이**
>
> 올림하여 십의 자리까지 나타내는 것은 십의 자리 아래 수가 0이 아니면 무조건 올려!

:: 올림하여 십의 자리까지 나타낸 수에 ◯표 하세요.

1 123 ➡ (110 , 120 , 130)

2 637 ➡ (630 , 640 , 650)

3 432 ➡ (430 , 440 , 450)

4 2364 ➡ (2360 , 2370 , 2380)

5 1708 ➡ (1710 , 1720 , 1730)

6 3992 ➡ (3900 , 4000 , 4100)

:: 올림하여 백의 자리까지 나타낸 수에 ◯표 하세요.

7 725 ➡ (600 , 700 , 800)

8 530 ➡ (500 , 600 , 700)

9 4097 ➡ (4100 , 4200 , 4300)

:: 올림하여 천의 자리까지 나타낸 수에 ◯표 하세요.

10 3487 ➡ (3000 , 4000 , 5000)

11 8680 ➡ (7000 , 8000 , 9000)

12 5246 ➡ (5000 , 6000 , 7000)

:: 올림하여 소수 첫째 자리까지 나타낸 수에 ○표 하세요.

13 0.17 ➡ (0.1 , 0.2 , 0.3)

14 0.38 ➡ (0.2 , 0.3 , 0.4)

15 3.502 ➡ (3.4 , 3.5 , 3.6)

16 2.374 ➡ (2.3 , 2.4 , 2.5)

17 1.351 ➡ (1.2 , 1.3 , 1.4)

18 1.34 ➡ (1.3 , 1.4 , 1.5)

19 4.25 ➡ (4.1 , 4.2 , 4.3)

:: 올림하여 소수 둘째 자리까지 나타낸 수에 ○표 하세요.

20 0.842 ➡ (0.85 , 0.86 , 0.87)

21 0.144 ➡ (0.14 , 0.15 , 0.16)

22 7.283 ➡ (7.28 , 7.29 , 7.30)

23 4.629 ➡ (4.62 , 4.63 , 4.64)

24 0.253 ➡ (0.26 , 0.27 , 0.28)

25 1.304 ➡ (1.30 , 1.31 , 1.32)

26 2.517 ➡ (2.50 , 2.51 , 2.52)

① 올림

⦂⦂ 올림하여 십의 자리까지 나타내세요.

1 258 ➡ (   )

2 601 ➡ (   )

3 2572 ➡ (   )

4 419 ➡ (   )

5 1332 ➡ (   )

6 673 ➡ (   )

⦂⦂ 올림하여 백의 자리까지 나타내세요.

7 803 ➡ (   )

8 9315 ➡ (   )

9 5004 ➡ (   )

⦂⦂ 올림하여 천의 자리까지 나타내세요.

10 3281 ➡ (   )

11 6586 ➡ (   )

12 1079 ➡ (   )

∷ 버림하여 소수 첫째 자리까지 나타내세요.

13 0.89 ➡ ( )

14 3.74 ➡ ( )

15 2.163 ➡ ( )

16 1.925 ➡ ( )

17 3.28 ➡ ( )

18 8.77 ➡ ( )

19 1.107 ➡ ( )

∷ 버림하여 소수 둘째 자리까지 나타내세요.

20 6.433 ➡ ( )

21 9.014 ➡ ( )

22 4.562 ➡ ( )

23 5.412 ➡ ( )

24 8.827 ➡ ( )

실력 up

25 민주는 저금통에 동전을 모으고 있습니다. 모은 돈이 8650원일 때 1000원짜리 지폐로 최대 얼마까지 바꿀 수 있을까요?

버림하여 천의 자리까지

8650 ➡ [ ]

답 _____

원리

❸ 반올림

원리 동영상 강의

◎ 반올림

구하려는 자리 바로 아래 자리의 숫자가 0, 1, 2, 3, 4이면 버리고, 5, 6, 7, 8, 9이면 올리는 방법을 반올림이라고 합니다.

㉠ • 282를 반올림하여 십의 자리까지 나타내기

$$282 \Rightarrow 280$$

└─→ 십의 자리 바로 아래 자리의 숫자가 2이므로 버립니다.

• 5.374를 반올림하여 소수 첫째 자리까지 나타내기

$$5.374 \Rightarrow 5.4$$

└─→ 소수 첫째 자리 바로 아래 자리의 숫자가 7이므로 올립니다.

조심이
구하려는 자리 바로 아래 자리의 숫자만 살펴봐! 다른 자리의 숫자가 크다고 올리면 안 돼!
3649 (반올림하여 백의 자리까지)
3700

⠿ 반올림하여 십의 자리까지 나타낸 수에 ◯표 하세요.

1 | 924 | ➡ (920 , 930 , 940)

2 | 491 | ➡ (480 , 490 , 500)

3 | 189 | ➡ (180 , 190 , 200)

4 | 5361 | ➡ (5350 , 5360 , 5370)

5 | 2277 | ➡ (2270 , 2280 , 2290)

6 | 3629 | ➡ (3620 , 3630 , 3640)

⠿ 반올림하여 백의 자리까지 나타낸 수에 ◯표 하세요.

7 | 310 | ➡ (300 , 400 , 500)

8 | 475 | ➡ (400 , 500 , 600)

9 | 6089 | ➡ (6000 , 6100 , 6200)

⠿ 반올림하여 천의 자리까지 나타낸 수에 ◯표 하세요.

10 | 7451 | ➡ (7000 , 8000 , 9000)

11 | 8824 | ➡ (7000 , 8000 , 9000)

12 | 6207 | ➡ (6000 , 7000 , 8000)

월 일	분	개	Day
학습 날짜	학습 시간	맞힌 개수	05

:: 반올림하여 소수 첫째 자리까지 나타낸 수에 ○표 하세요.

13 2.78 ➡ (2.7 , 2.8 , 2.9)

14 1.63 ➡ (1.5 , 1.6 , 1.7)

15 6.472 ➡ (6.3 , 6.4 , 6.5)

16 1.995 ➡ (1.9 , 2.0 , 2.1)

17 4.203 ➡ (4.1 , 4.2 , 4.3)

18 4.32 ➡ (4.1 , 4.2 , 4.3)

19 2.073 ➡ (2.0 , 2.1 , 2.2)

:: 반올림하여 소수 둘째 자리까지 나타낸 수에 ○표 하세요.

20 7.213 ➡ (7.21 , 7.22 , 7.23)

21 3.645 ➡ (3.64 , 3.65 , 3.66)

22 2.173 ➡ (2.17 , 2.18 , 2.19)

23 3.128 ➡ (3.11 , 3.12 , 3.13)

24 3.721 ➡ (3.71 , 3.72 , 3.73)

25 5.263 ➡ (5.26 , 5.27 , 5.28)

26 6.107 ➡ (6.10 , 6.11 , 6.12)

연습

❸ 반올림

:: 반올림하여 십의 자리까지 나타내세요.

1 [662] ➡ (   )

2 [945] ➡ (   )

3 [5443] ➡ (   )

4 [527] ➡ (   )

5 [3830] ➡ (   )

6 [702] ➡ (   )

:: 반올림하여 백의 자리까지 나타내세요.

7 [328] ➡ (   )

8 [7118] ➡ (   )

9 [9497] ➡ (   )

:: 반올림하여 천의 자리까지 나타내세요.

10 [2540] ➡ (   )

11 [3700] ➡ (   )

12 [1092] ➡ (   )

:: 반올림하여 소수 첫째 자리까지 나타내세요.

13 [2.66] ➡ (   )

14 [4.52] ➡ (   )

15 [3.985] ➡ (   )

16 [0.93] ➡ (   )

17 [7.28] ➡ (   )

18 [9.44] ➡ (   )

19 [4.101] ➡ (   )

:: 반올림하여 소수 둘째 자리까지 나타내세요.

20 [6.868] ➡ (   )

21 [3.175] ➡ (   )

22 [1.672] ➡ (   )

23 [1.042] ➡ (   )

24 [0.879] ➡ (   )

실력 up

25 오늘 하루 축구장에 입장한 관람객 수는 9864명입니다. 관람객 수를 반올림하여 백의 자리까지 나타내면 몇 명일까요?

반올림하여 백의 자리까지

9864 ➡ [   ]

답 _____

1. 수 어림하기

:: **주어진 자리까지 어림한 수를 찾아 이으세요.**

1

305
(올림하여 십의 자리까지) •

• 310

350
(버림하여 백의 자리까지) •

• 330

327
(반올림하여 십의 자리까지) •

• 300

4

0.12
(올림하여 소수 첫째 자리까지) •

• 0.9

0.64
(버림하여 소수 첫째 자리까지) •

• 0.2

0.89
(반올림하여 소수 첫째 자리까지) •

• 0.6

2

2148
(올림하여 백의 자리까지) •

• 2000

2163
(버림하여 백의 자리까지) •

• 2100

2171
(반올림하여 천의 자리까지) •

• 2200

5

5.654
(올림하여 소수 둘째 자리까지) •

• 5.09

5.097
(버림하여 소수 둘째 자리까지) •

• 5.66

5.816
(반올림하여 소수 둘째 자리까지) •

• 5.82

3

4305
(올림하여 십의 자리까지) •

• 4380

4381
(버림하여 십의 자리까지) •

• 4400

4352
(반올림하여 백의 자리까지) •

• 4310

6

9.408
(올림하여 일의 자리까지) •

• 11

9.899
(버림하여 일의 자리까지) •

• 10

10.763
(반올림하여 일의 자리까지) •

• 9

수를 주어진 자리까지 어림하세요.

7 십의 자리까지

수	올림	버림	반올림
431			
5015			

10 소수 첫째 자리까지

수	올림	버림	반올림
2.753			
1.069			

8 백의 자리까지

수	올림	버림	반올림
673			
2234			

11 소수 둘째 자리까지

수	올림	버림	반올림
0.555			
0.322			

9 천의 자리까지

수	올림	버림	반올림
4117			
7689			

12 일의 자리까지

수	올림	버림	반올림
6.624			
9.386			

평가

1. 수 어림하기

:: 올림하여 주어진 자리까지 나타내세요.

1
십의 자리까지

672 ➡ (   )

2
백의 자리까지

1180 ➡ (   )

3
소수 첫째 자리까지

0.71 ➡ (   )

4
백의 자리까지

3674 ➡ (   )

5
천의 자리까지

5417 ➡ (   )

6
소수 첫째 자리까지

2.184 ➡ (   )

7
일의 자리까지

5.629 ➡ (   )

:: 버림하여 주어진 자리까지 나타내세요.

8
십의 자리까지

364 ➡ (   )

9
백의 자리까지

3924 ➡ (   )

10
소수 둘째 자리까지

9.327 ➡ (   )

11
천의 자리까지

8762 ➡ (   )

12
소수 첫째 자리까지

3.471 ➡ (   )

13
십의 자리까지

287 ➡ (   )

14
백의 자리까지

935 ➡ (   )

⠿ 반올림하여 주어진 자리까지 나타내세요.

15
십의 자리까지

811 ➡ (　　　　　　)

16
천의 자리까지

2301 ➡ (　　　　　　)

17
소수 첫째 자리까지

2.54 ➡ (　　　　　　)

18
백의 자리까지

5295 ➡ (　　　　　　)

19
소수 둘째 자리까지

3.325 ➡ (　　　　　　)

20
일의 자리까지

4.07 ➡ (　　　　　　)

21
십의 자리까지

339 ➡ (　　　　　　)

22
백의 자리까지

7393 ➡ (　　　　　　)

23
천의 자리까지

5702 ➡ (　　　　　　)

24
소수 둘째 자리까지

6.845 ➡ (　　　　　　)

25
백의 자리까지

6313 ➡ (　　　　　　)

26
천의 자리까지

4909 ➡ (　　　　　　)

27
소수 첫째 자리까지

1.036 ➡ (　　　　　　)

28
소수 둘째 자리까지

9.958 ➡ (　　　　　　)

주어진 자리까지 어림한 수를 찾아 이으세요.

29

125
(올림하여 십의 자리까지) ·

· 110

129
(버림하여 백의 자리까지) ·

· 100

112
(반올림하여 십의 자리까지) ·

· 130

30

1692
(올림하여 백의 자리까지) ·

· 1700

1682
(버림하여 백의 자리까지) ·

· 2000

1650
(반올림하여 천의 자리까지) ·

· 1600

31

4.216
(올림하여 소수 첫째 자리까지) ·

· 4.2

4.277
(버림하여 소수 첫째 자리까지) ·

· 4.3

4.351
(반올림하여 소수 첫째 자리까지) ·

· 4.4

수를 주어진 자리까지 어림하세요.

32

십의 자리까지			
수	올림	버림	반올림
962			
1558			

33

백의 자리까지			
수	올림	버림	반올림
378			
7604			

34

일의 자리까지			
수	올림	버림	반올림
1.005			
8.894			

2 분수의 곱셈

강화

🎪 학습 계획표

📖 학습 관리 tip 맨 앞장의 학습 플래너를 이용하여 학습 스케줄을 관리하도록 하세요!

원리

❶ (진분수)×(자연수)

원리 동영상 강의

◎ (진분수)×(자연수) 계산 방법

분모는 그대로 두고 분자에 자연수를 곱하여 계산합니다.

예) $\frac{5}{6} \times 4$의 계산

방법 1 $\frac{5}{6} \times 4 = \frac{5 \times 4}{6} = \frac{\overset{10}{\cancel{20}}}{\underset{3}{\cancel{6}}} = \frac{10}{3} = 3\frac{1}{3}$ → 분자에 자연수를 곱한 다음 약분하여 계산하기

방법 2 $\frac{5}{6} \times 4 = \frac{5 \times \overset{2}{\cancel{4}}}{\underset{3}{\cancel{6}}} = \frac{10}{3} = 3\frac{1}{3}$ → 분자에 자연수를 곱하는 과정에서 약분하여 계산하기

방법 3 $\frac{5}{\underset{3}{\cancel{6}}} \times \overset{2}{\cancel{4}} = \frac{5 \times 2}{3} = \frac{10}{3} = 3\frac{1}{3}$ → 분모와 자연수를 약분한 다음 분자에 자연수를 곱하여 계산하기

뿡뿡이

방법 1 은 계산 끝에서, 방법 2 는 계산 과정에서, 방법 3 은 계산하기 전에 약분을 해! 세 가지 방법 중에서 편리한 방법으로 계산해 봐.

∷ □ 안에 알맞은 수를 써넣으세요.

1 $\frac{1}{7} \times 5 = \frac{1 \times \boxed{}}{7} = \frac{\boxed{}}{7}$

2 $\frac{2}{9} \times 4 = \frac{2 \times \boxed{}}{9} = \frac{\boxed{}}{9}$

3 $\frac{3}{4} \times 3 = \frac{3 \times \boxed{}}{4} = \frac{\boxed{}}{4} = \boxed{}\frac{\boxed{}}{4}$

4 $\frac{3}{5} \times 4 = \frac{3 \times \boxed{}}{5} = \frac{\boxed{}}{5} = \boxed{}\frac{\boxed{}}{5}$

5 $\frac{1}{2} \times 6 = \frac{1 \times \boxed{}}{2} = \frac{\overset{3}{\cancel{6}}}{\underset{\boxed{}}{\cancel{2}}} = \frac{3}{\boxed{}} = \boxed{}$

6 $\frac{5}{6} \times 2 = \frac{5 \times \boxed{}}{6} = \frac{\overset{5}{\cancel{10}}}{\underset{\boxed{}}{\cancel{6}}} = \frac{5}{\boxed{}} = \boxed{}\frac{\boxed{}}{3}$

7 $\frac{2}{3} \times 18 = \frac{\boxed{} \times 18}{3} = \frac{\overset{\boxed{}}{36}}{\underset{1}{\cancel{3}}} = \frac{\boxed{}}{1} = \boxed{}$

8 $\frac{1}{8} \times 12 = \frac{\boxed{} \times 12}{8} = \frac{\overset{\boxed{}}{12}}{\underset{2}{\cancel{8}}} = \frac{\boxed{}}{2} = \boxed{}\frac{\boxed{}}{2}$

9 $\dfrac{4}{15} \times 5 = \dfrac{4 \times \overset{1}{\cancel{5}}}{\underset{\square}{\cancel{15}}} = \dfrac{\square}{3} = \square\dfrac{\square}{3}$

10 $\dfrac{5}{21} \times 14 = \dfrac{5 \times \overset{2}{\cancel{14}}}{\underset{\square}{\cancel{21}}} = \dfrac{\square}{3} = \square\dfrac{\square}{3}$

11 $\dfrac{3}{4} \times 6 = \dfrac{3 \times \overset{\square}{\cancel{6}}}{\underset{2}{\cancel{4}}} = \dfrac{\square}{2} = \square\dfrac{\square}{2}$

12 $\dfrac{5}{8} \times 6 = \dfrac{5 \times \overset{\square}{\cancel{6}}}{\underset{4}{\cancel{8}}} = \dfrac{\square}{4} = \square\dfrac{\square}{4}$

13 $\dfrac{4}{9} \times 15 = \dfrac{4 \times \overset{\square}{\cancel{15}}}{\underset{3}{\cancel{9}}} = \dfrac{\square}{3} = \square\dfrac{\square}{3}$

14 $\dfrac{5}{18} \times 12 = \dfrac{5 \times \overset{\square}{\cancel{12}}}{\underset{3}{\cancel{18}}} = \dfrac{\square}{3} = \square\dfrac{\square}{3}$

15 $\dfrac{1}{6} \times 8 = \dfrac{1 \times \overset{\square}{\square}}{\underset{\square}{3}} = \dfrac{\square}{3} = \square\dfrac{\square}{3}$

16 $\dfrac{7}{16} \times 10 = \dfrac{7 \times \overset{\square}{\square}}{\underset{\square}{8}} = \dfrac{\square}{8} = \square\dfrac{\square}{8}$

17 $\dfrac{8}{9} \times 6 = \dfrac{8 \times \overset{\square}{\cancel{6}}}{\underset{\square}{3}} = \dfrac{\square}{3} = \square\dfrac{\square}{3}$

18 $\dfrac{3}{14} \times 20 = \dfrac{3 \times \overset{\square}{\square}}{\underset{\square}{7}} = \dfrac{\square}{7} = \square\dfrac{\square}{7}$

19 $\dfrac{6}{25} \times 15 = \dfrac{6 \times \overset{\square}{\square}}{\underset{\square}{5}} = \dfrac{\square}{5} = \square\dfrac{\square}{5}$

20 $\dfrac{15}{32} \times 12 = \dfrac{15 \times \overset{\square}{\square}}{\underset{\square}{8}} = \dfrac{\square}{8} = \square\dfrac{\square}{8}$

∷ 계산을 하세요.

1 $\dfrac{5}{6} \times 7$

2 $\dfrac{1}{4} \times 5$

3 $\dfrac{4}{7} \times 4$

4 $\dfrac{4}{9} \times 8$

5 $\dfrac{7}{8} \times 5$

6 $\dfrac{11}{13} \times 3$

7 $\dfrac{5}{7} \times 6$

8 $\dfrac{1}{2} \times 8$

9 $\dfrac{9}{10} \times 15$

10 $\dfrac{4}{7} \times 21$

11 $\dfrac{7}{15} \times 12$

12 $\dfrac{13}{21} \times 28$

13 $\dfrac{11}{24} \times 30$

14 $\dfrac{7}{10} \times 8$

15 $\dfrac{6}{7} \times 14$

16 $\dfrac{8}{15} \times 9$

17 $\dfrac{5}{36} \times 12$

18 $\dfrac{7}{18} \times 16$

19 $\dfrac{4}{45} \times 15$

20 $\dfrac{11}{30} \times 18$

21 $\dfrac{5}{24} \times 9$

22 $\dfrac{7}{20} \times 14$

23 $\dfrac{5}{21} \times 12$

24 $\dfrac{5}{16} \times 20$

25 $\dfrac{2}{9} \times 12$

26 $\dfrac{12}{25} \times 20$

실력 up

27 길이가 $\dfrac{8}{15}$ m인 끈이 6개 있습니다. 끈을 겹치지 않게 한 줄로 이으면 모두 몇 m가 될까요?

$$\dfrac{8}{15} \times 6 = \boxed{}$$

답

적용 ❶ (진분수)×(자연수)

∷ 계산 결과를 찾아 이으세요.

1

$\frac{2}{5} \times 5$ •

$\frac{7}{10} \times 5$ •

$\frac{2}{15} \times 5$ •

• $3\frac{1}{2}$

• 2

• $\frac{2}{3}$

2

$\frac{3}{4} \times 10$ •

$\frac{7}{8} \times 10$ •

$\frac{5}{12} \times 10$ •

• $4\frac{1}{6}$

• $7\frac{1}{2}$

• $8\frac{3}{4}$

3

$\frac{2}{3} \times 6$ •

$\frac{4}{9} \times 6$ •

$\frac{7}{18} \times 6$ •

• 4

• $2\frac{1}{3}$

• $2\frac{2}{3}$

4

$\frac{6}{7} \times 7$ •

$\frac{9}{14} \times 7$ •

$\frac{11}{28} \times 7$ •

• $4\frac{1}{2}$

• $2\frac{3}{4}$

• 6

5

$\frac{5}{6} \times 9$ •

$\frac{7}{12} \times 9$ •

$\frac{4}{27} \times 9$ •

• $1\frac{1}{3}$

• $5\frac{1}{4}$

• $7\frac{1}{2}$

6

$\frac{4}{15} \times 12$ •

$\frac{9}{20} \times 12$ •

$\frac{3}{22} \times 12$ •

• $1\frac{7}{11}$

• $3\frac{1}{5}$

• $5\frac{2}{5}$

■ 빈 곳에 알맞은 수를 써넣으세요.

7　$\times$ →

$\dfrac{3}{8}$	5	
$\dfrac{1}{10}$	8	

10　$\times$ →

$\dfrac{5}{12}$	15	
$\dfrac{3}{4}$	9	

8　$\times$ →

$\dfrac{5}{9}$	6	
$\dfrac{2}{7}$	21	

11　$\times$ →

$\dfrac{1}{6}$	10	
$\dfrac{4}{15}$	9	

9　$\times$ →

$\dfrac{5}{14}$	11	
$\dfrac{9}{35}$	15	

12　$\times$ →

$\dfrac{9}{20}$	25	
$\dfrac{7}{30}$	18	

원리

❷ (대분수)×(자연수)

원리 동영상 강의

○ (대분수)×(자연수) 계산 방법

㉠ $1\frac{1}{4} \times 2$의 계산

방법 **1** $1\frac{1}{4} \times 2 = \frac{5}{4} \times \overset{1}{\cancel{2}} = \frac{5 \times 1}{2} = \frac{5}{2} = 2\frac{1}{2}$ → 대분수를 가분수로 나타내어 계산하기

방법 **2** $1\frac{1}{4} \times 2 = \left(1+\frac{1}{4}\right) \times 2 = (1 \times 2) + \left(\frac{1}{4} \times \overset{1}{\cancel{2}}\right)$

$= 2 + \frac{1}{2} = 2\frac{1}{2}$ → 대분수의 자연수 부분과 진분수 부분에 자연수를 각각 곱하여 계산하기

조심이

대분수를 가분수로 나타내지 않고 약분하면 안 돼!

$1\frac{1}{\cancel{4}} \times \overset{1}{2} = 1\frac{1}{2}$ ✗

∷ □ 안에 알맞은 수를 써넣으세요.

1 $1\frac{1}{2} \times 3 = \dfrac{\Box}{2} \times 3 = \dfrac{\Box \times 3}{2}$

$= \dfrac{\Box}{2} = \Box\dfrac{\Box}{2}$

2 $3\frac{1}{3} \times 2 = \dfrac{\Box}{3} \times 2 = \dfrac{\Box \times 2}{3}$

$= \dfrac{\Box}{3} = \Box\dfrac{\Box}{3}$

3 $1\frac{3}{4} \times 3 = \dfrac{\Box}{4} \times 3 = \dfrac{\Box \times 3}{4}$

$= \dfrac{\Box}{4} = \Box\dfrac{\Box}{4}$

4 $3\frac{1}{4} \times 7 = \dfrac{\Box}{4} \times 7 = \dfrac{\Box \times 7}{4}$

$= \dfrac{\Box}{4} = \Box\dfrac{\Box}{4}$

5 $2\frac{2}{9} \times 3 = \dfrac{\Box}{\underset{\Box}{\cancel{9}}} \times \cancel{3} = \dfrac{\Box \times \Box}{3}$

$= \dfrac{\Box}{3} = \Box\dfrac{\Box}{3}$

6 $1\frac{1}{6} \times 8 = \dfrac{\Box}{\underset{\Box}{\cancel{6}}} \times \cancel{8} = \dfrac{\Box \times \Box}{3}$

$= \dfrac{\Box}{3} = \Box\dfrac{\Box}{3}$

7 $2\frac{1}{8} \times 2 = \dfrac{\Box}{\underset{\Box}{\cancel{8}}} \times \cancel{2} = \dfrac{\Box \times \Box}{4}$

$= \dfrac{\Box}{4} = \Box\dfrac{\Box}{4}$

8 $2\frac{3}{5} \times 15 = \dfrac{\Box}{\underset{\Box}{\cancel{5}}} \times \cancel{15} = \dfrac{\Box \times \Box}{1}$

$= \Box$

32 수학 연산 5-2

9 $2\dfrac{1}{7}\times 5=\left(2+\dfrac{1}{7}\right)\times 5$

$$=\left(\boxed{}\times 5\right)+\left(\dfrac{\boxed{}}{7}\times 5\right)$$

$$=\boxed{}+\dfrac{\boxed{}}{7}=\boxed{}\dfrac{\boxed{}}{7}$$

10 $1\dfrac{2}{3}\times 4=\left(1+\dfrac{2}{3}\right)\times 4$

$$=\left(\boxed{}\times 4\right)+\left(\dfrac{\boxed{}}{3}\times 4\right)$$

$$=\boxed{}+\dfrac{\boxed{}}{3}=\boxed{}+\boxed{}\dfrac{\boxed{}}{3}$$

$$=\boxed{}\dfrac{\boxed{}}{3}$$

11 $2\dfrac{4}{5}\times 8=\left(2+\dfrac{4}{5}\right)\times 8$

$$=\left(\boxed{}\times 8\right)+\left(\dfrac{\boxed{}}{5}\times 8\right)$$

$$=\boxed{}+\dfrac{\boxed{}}{5}=\boxed{}+\boxed{}\dfrac{\boxed{}}{5}$$

$$=\boxed{}\dfrac{\boxed{}}{5}$$

12 $3\dfrac{5}{8}\times 3=\left(3+\dfrac{5}{8}\right)\times 3$

$$=\left(\boxed{}\times 3\right)+\left(\dfrac{\boxed{}}{8}\times 3\right)$$

$$=\boxed{}+\dfrac{\boxed{}}{8}=\boxed{}+\boxed{}\dfrac{\boxed{}}{8}$$

$$=\boxed{}\dfrac{\boxed{}}{8}$$

13 $1\dfrac{3}{7}\times 14=\left(1+\dfrac{3}{7}\right)\times 14$

$$=\left(\boxed{}\times 14\right)+\left(\dfrac{\boxed{}}{7}\times 14\right)$$

$$=\boxed{}+\boxed{}=\boxed{}$$

14 $3\dfrac{1}{9}\times 6=\left(3+\dfrac{1}{9}\right)\times 6$

$$=\left(\boxed{}\times 6\right)+\left(\dfrac{\boxed{}}{9}\times 6\right)$$

$$=\boxed{}+\dfrac{\boxed{}}{3}=\boxed{}\dfrac{\boxed{}}{3}$$

15 $1\dfrac{7}{30}\times 5=\left(1+\dfrac{7}{30}\right)\times 5$

$$=\left(\boxed{}\times 5\right)+\left(\dfrac{\boxed{}}{30}\times 5\right)$$

$$=\boxed{}+\dfrac{\boxed{}}{6}=\boxed{}+\boxed{}\dfrac{\boxed{}}{6}$$

$$=\boxed{}\dfrac{\boxed{}}{6}$$

16 $2\dfrac{5}{9}\times 12=\left(2+\dfrac{5}{9}\right)\times 12$

$$=\left(\boxed{}\times 12\right)+\left(\dfrac{\boxed{}}{9}\times 12\right)$$

$$=\boxed{}+\dfrac{\boxed{}}{3}=\boxed{}+\boxed{}\dfrac{\boxed{}}{3}$$

$$=\boxed{}\dfrac{\boxed{}}{3}$$

❷ (대분수)×(자연수)

⠿ 계산을 하세요.

1 $5\dfrac{2}{3} \times 5$

2 $3\dfrac{2}{5} \times 4$

3 $1\dfrac{5}{7} \times 6$

4 $4\dfrac{2}{9} \times 4$

5 $3\dfrac{3}{10} \times 3$

6 $1\dfrac{3}{5} \times 8$

7 $2\dfrac{1}{3} \times 8$

8 $3\dfrac{7}{8} \times 5$

9 $2\dfrac{3}{4} \times 7$

10 $3\dfrac{1}{6} \times 5$

11 $4\dfrac{4}{5} \times 3$

12 $3\dfrac{4}{7} \times 5$

13 $2\dfrac{5}{8} \times 6$

14 $2\dfrac{5}{9} \times 3$

15 $3\frac{3}{10} \times 5$

16 $2\frac{9}{14} \times 7$

17 $3\frac{1}{5} \times 20$

18 $3\frac{2}{15} \times 9$

19 $5\frac{11}{12} \times 3$

20 $3\frac{1}{6} \times 4$

21 $4\frac{7}{16} \times 4$

22 $2\frac{3}{4} \times 14$

23 $2\frac{7}{20} \times 8$

24 $1\frac{8}{15} \times 18$

25 $3\frac{6}{25} \times 10$

26 $2\frac{13}{18} \times 12$

실력 up

27 무게가 $1\frac{5}{24}$ kg인 멜론이 21개 있습니다. 멜론은 모두 몇 kg일까요?

$$1\frac{5}{24} \times 21 = \boxed{}$$

답

❷ (대분수)×(자연수)

∷ 빈 곳에 알맞은 수를 써넣으세요.

1

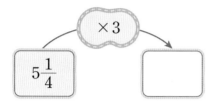

$5\frac{1}{4}$ ×3

2

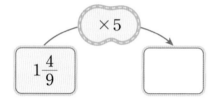

$1\frac{4}{9}$ ×5

3

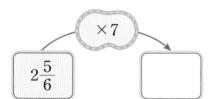

$2\frac{5}{6}$ ×7

4

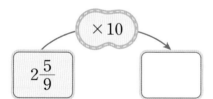

$2\frac{5}{9}$ ×10

5

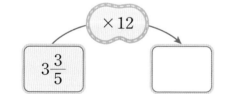

$3\frac{3}{5}$ ×12

6

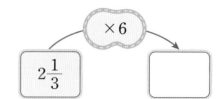

$2\frac{1}{3}$ ×6

7

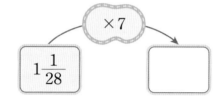

$1\frac{1}{28}$ ×7

8

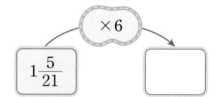

$1\frac{5}{21}$ ×6

9

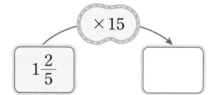

$1\frac{2}{5}$ ×15

10

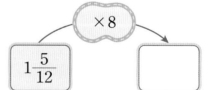

$1\frac{5}{12}$ ×8

□ 안에 알맞은 수를 써넣으세요.

11
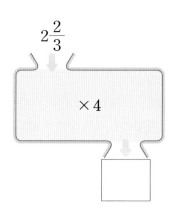
$2\frac{2}{3}$ ×4

12
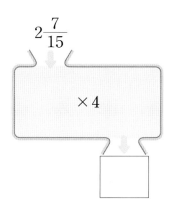
$2\frac{7}{15}$ ×4

13
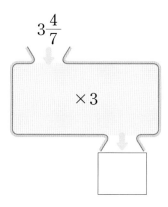
$3\frac{4}{7}$ ×3

14
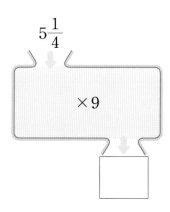
$5\frac{1}{4}$ ×9

15
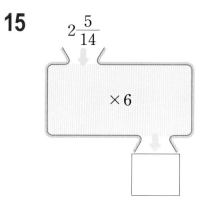
$2\frac{5}{14}$ ×6

16
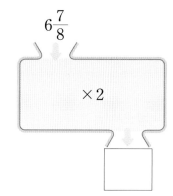
$6\frac{7}{8}$ ×2

17
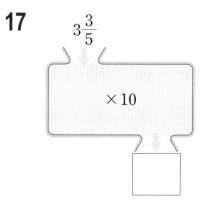
$3\frac{3}{5}$ ×10

18
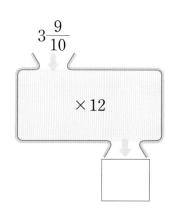
$3\frac{9}{10}$ ×12

원리 동영상 강의

원리

❸ (자연수)×(진분수)

○ **(자연수)×(진분수) 계산 방법**

분모는 그대로 두고 자연수를 분자에 곱하여 계산합니다.

예 $6 \times \dfrac{3}{8}$ 의 계산

방법 1 $6 \times \dfrac{3}{8} = \dfrac{6 \times 3}{8} = \dfrac{\overset{9}{\cancel{18}}}{\underset{4}{\cancel{8}}} = \dfrac{9}{4} = 2\dfrac{1}{4}$ → 자연수를 분자에 곱한 다음 약분하여 계산하기

방법 2 $6 \times \dfrac{3}{8} = \dfrac{6 \times 3}{\underset{4}{\cancel{8}}} = \dfrac{9}{4} = 2\dfrac{1}{4}$ → 자연수를 분자에 곱하는 과정에서 약분하여 계산하기

방법 3 $\overset{3}{\cancel{6}} \times \dfrac{3}{\underset{4}{\cancel{8}}} = \dfrac{3 \times 3}{4} = \dfrac{9}{4} = 2\dfrac{1}{4}$ → 자연수와 분모를 약분한 다음 자연수를 분자에 곱하여 계산하기

뿜뿜이

방법 1 은 계산 끝에서, 방법 2 는 계산 과정에서, 방법 3 은 계산하기 전에 약분을 해!
세 가지 방법 중에서 편리한 방법으로 계산해 봐.

∷ ☐ 안에 알맞은 수를 써넣으세요.

1 $3 \times \dfrac{3}{5} = \dfrac{3 \times \boxed{}}{5} = \dfrac{\boxed{}}{5} = \boxed{}\dfrac{\boxed{}}{5}$

2 $5 \times \dfrac{2}{3} = \dfrac{5 \times \boxed{}}{3} = \dfrac{\boxed{}}{3} = \boxed{}\dfrac{\boxed{}}{3}$

3 $7 \times \dfrac{1}{4} = \dfrac{\boxed{} \times 1}{4} = \dfrac{\boxed{}}{4} = \boxed{}\dfrac{\boxed{}}{4}$

4 $8 \times \dfrac{5}{9} = \dfrac{\boxed{} \times 5}{9} = \dfrac{\boxed{}}{9} = \boxed{}\dfrac{\boxed{}}{9}$

5 $3 \times \dfrac{5}{6} = \dfrac{3 \times \boxed{}}{6} = \dfrac{\overset{5}{\cancel{15}}}{\underset{\boxed{}}{\cancel{6}}} = \dfrac{5}{\boxed{}} = \boxed{}\dfrac{\boxed{}}{2}$

6 $12 \times \dfrac{2}{3} = \dfrac{12 \times \boxed{}}{3} = \dfrac{\overset{8}{\cancel{24}}}{\underset{\boxed{}}{\cancel{3}}} = \boxed{}$

7 $2 \times \dfrac{5}{8} = \dfrac{\boxed{} \times 5}{8} = \dfrac{\overset{\boxed{}}{\cancel{10}}}{\underset{4}{\cancel{8}}} = \dfrac{\boxed{}}{4} = \boxed{}\dfrac{\boxed{}}{4}$

8 $9 \times \dfrac{8}{15} = \dfrac{\boxed{} \times 8}{15} = \dfrac{\overset{\boxed{}}{\cancel{72}}}{\underset{5}{\cancel{15}}} = \dfrac{\boxed{}}{5} = \boxed{}\dfrac{\boxed{}}{5}$

9 $5 \times \dfrac{13}{25} = \dfrac{\overset{1}{\cancel{5}} \times 13}{\underset{\square}{\cancel{25}}} = \dfrac{\square}{5} = \square \dfrac{\square}{5}$

10 $12 \times \dfrac{9}{10} = \dfrac{\overset{6}{\cancel{12}} \times 9}{\underset{\square}{\cancel{10}}} = \dfrac{\square}{5} = \square \dfrac{\square}{5}$

11 $15 \times \dfrac{5}{12} = \dfrac{\overset{\square}{\cancel{15}} \times 5}{\underset{4}{\cancel{12}}} = \dfrac{\square}{4} = \square \dfrac{\square}{4}$

12 $16 \times \dfrac{7}{24} = \dfrac{\overset{\square}{\cancel{16}} \times 7}{\underset{3}{\cancel{24}}} = \dfrac{\square}{3} = \square \dfrac{\square}{3}$

13 $8 \times \dfrac{7}{30} = \dfrac{\overset{\square}{\cancel{8}} \times 7}{\underset{15}{\cancel{30}}} = \dfrac{\square}{15} = \square \dfrac{\square}{15}$

14 $4 \times \dfrac{11}{20} = \dfrac{\overset{\square}{\cancel{4}} \times 11}{\underset{5}{\cancel{20}}} = \dfrac{\square}{5} = \square \dfrac{\square}{5}$

15 $\dfrac{\overset{\square}{\cancel{25}}}{\underset{\square}{\cancel{}}} \times \dfrac{7}{10} = \dfrac{\square \times 7}{2} = \dfrac{\square}{2} = \square \dfrac{\square}{2}$

16 $\dfrac{\overset{\square}{\cancel{30}}}{\underset{\square}{\cancel{}}} \times \dfrac{13}{18} = \dfrac{\square \times 13}{3} = \dfrac{\square}{3} = \square \dfrac{\square}{3}$

17 $\dfrac{\overset{\square}{\cancel{7}}}{\underset{\square}{\cancel{}}} \times \dfrac{11}{14} = \dfrac{\square \times 11}{2} = \dfrac{\square}{2} = \square \dfrac{\square}{2}$

18 $\dfrac{\overset{\square}{\cancel{6}}}{\underset{\square}{\cancel{}}} \times \dfrac{8}{21} = \dfrac{\square \times 8}{7} = \dfrac{\square}{7} = \square \dfrac{\square}{7}$

19 $\dfrac{\overset{\square}{\cancel{12}}}{\underset{\square}{\cancel{15}}} \times \dfrac{7}{15} = \dfrac{\square \times 7}{5} = \dfrac{\square}{5} = \square \dfrac{\square}{5}$

20 $\dfrac{\overset{\square}{\cancel{15}}}{\underset{\square}{\cancel{24}}} \times \dfrac{11}{24} = \dfrac{\square \times 11}{8} = \dfrac{\square}{8} = \square \dfrac{\square}{8}$

적용

❸ (자연수)×(진분수)

:: 빈 곳에 알맞은 수를 써넣으세요.

1 $\boxed{7}$ —$\left(\times \dfrac{1}{6}\right)$→ $\boxed{}$

6 $\boxed{3}$ —$\left(\times \dfrac{8}{9}\right)$→ $\boxed{}$

2 $\boxed{5}$ —$\left(\times \dfrac{2}{11}\right)$→ $\boxed{}$

7 $\boxed{4}$ —$\left(\times \dfrac{3}{10}\right)$→ $\boxed{}$

3 $\boxed{3}$ —$\left(\times \dfrac{4}{7}\right)$→ $\boxed{}$

8 $\boxed{10}$ —$\left(\times \dfrac{2}{5}\right)$→ $\boxed{}$

4 $\boxed{11}$ —$\left(\times \dfrac{2}{5}\right)$→ $\boxed{}$

9 $\boxed{12}$ —$\left(\times \dfrac{7}{26}\right)$→ $\boxed{}$

5 $\boxed{9}$ —$\left(\times \dfrac{5}{14}\right)$→ $\boxed{}$

10 $\boxed{24}$ —$\left(\times \dfrac{3}{32}\right)$→ $\boxed{}$

11

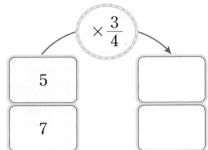

15

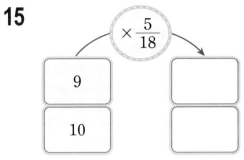

12

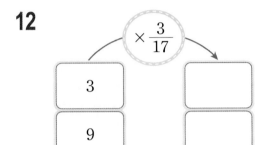

16

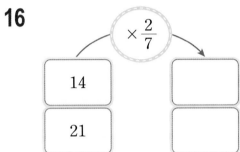

13

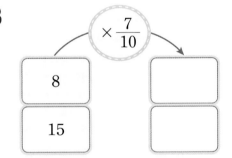

17

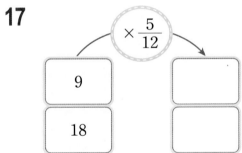

14

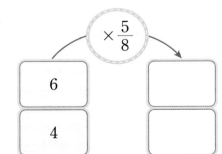

18

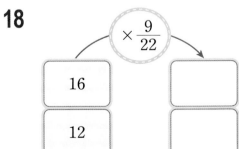

원리   ❹ (자연수)×(대분수)

원리 동영상 강의

◉ (자연수)×(대분수) 계산 방법

㉠ $4 \times 2\frac{1}{6}$ 의 계산

방법 **1** $4 \times 2\frac{1}{6} = \overset{2}{\cancel{4}} \times \frac{13}{\underset{3}{\cancel{6}}} = \frac{2 \times 13}{3} = \frac{26}{3} = 8\frac{2}{3}$ → 대분수를 가분수로 나타내어 계산하기

방법 **2** $4 \times 2\frac{1}{6} = 4 \times \left(2 + \frac{1}{6}\right) = (4 \times 2) + \left(\overset{2}{\cancel{4}} \times \frac{1}{\underset{3}{\cancel{6}}}\right)$

$= 8 + \frac{2}{3} = 8\frac{2}{3}$ → 자연수를 대분수의 자연수 부분과 진분수 부분에 각각 곱하여 계산하기

조심이

대분수를 가분수로 나타내지 않고 약분하면 안 돼!

$\overset{2}{\cancel{4}} \times 2\frac{1}{\underset{3}{\cancel{6}}} = 2 \times \frac{7}{3} = \frac{14}{3} = 4\frac{2}{3}$ ✗

□ 안에 알맞은 수를 써넣으세요.

1 $2 \times 1\frac{4}{5} = 2 \times \frac{\boxed{}}{5} = \frac{2 \times \boxed{}}{5}$

$= \frac{\boxed{}}{5} = \boxed{}\frac{\boxed{}}{5}$

2 $4 \times 1\frac{2}{3} = 4 \times \frac{\boxed{}}{3} = \frac{4 \times \boxed{}}{3}$

$= \frac{\boxed{}}{3} = \boxed{}\frac{\boxed{}}{3}$

3 $5 \times 3\frac{5}{6} = 5 \times \frac{\boxed{}}{6} = \frac{5 \times \boxed{}}{6}$

$= \frac{\boxed{}}{6} = \boxed{}\frac{\boxed{}}{6}$

4 $3 \times 2\frac{1}{4} = 3 \times \frac{\boxed{}}{4} = \frac{3 \times \boxed{}}{4}$

$= \frac{\boxed{}}{4} = \boxed{}\frac{\boxed{}}{4}$

5 $3 \times 2\frac{4}{9} = \cancel{3} \times \frac{\boxed{}}{\underset{\boxed{}}{\cancel{9}}} = \frac{\boxed{} \times \boxed{}}{3}$

$= \frac{\boxed{}}{3} = \boxed{}\frac{\boxed{}}{3}$

6 $4 \times 1\frac{1}{6} = \cancel{4} \times \frac{\boxed{}}{\underset{\boxed{}}{\cancel{6}}} = \frac{\boxed{} \times \boxed{}}{3}$

$= \frac{\boxed{}}{3} = \boxed{}\frac{\boxed{}}{3}$

7 $6 \times 4\frac{1}{8} = \cancel{6} \times \frac{\boxed{}}{\underset{\boxed{}}{\cancel{8}}} = \frac{\boxed{} \times \boxed{}}{4}$

$= \frac{\boxed{}}{4} = \boxed{}\frac{\boxed{}}{4}$

8 $10 \times 2\frac{3}{5} = 10 \times \frac{\boxed{}}{\underset{\boxed{}}{\cancel{5}}} = \frac{\boxed{} \times \boxed{}}{1}$

$= \boxed{}$

9

$$2 \times 4\frac{2}{5} = 2 \times \left(4 + \frac{2}{5}\right)$$
$$= (2 \times \square) + \left(2 \times \frac{\square}{5}\right)$$
$$= \square + \frac{\square}{5} = \square\frac{\square}{5}$$

10

$$9 \times 3\frac{3}{8} = 9 \times \left(3 + \frac{3}{8}\right)$$
$$= (9 \times \square) + \left(9 \times \frac{\square}{8}\right)$$
$$= \square + \frac{\square}{8} = \square + \square\frac{\square}{8}$$
$$= \square\frac{\square}{8}$$

11

$$3 \times 5\frac{1}{2} = 3 \times \left(5 + \frac{1}{2}\right)$$
$$= (3 \times \square) + \left(3 \times \frac{\square}{2}\right)$$
$$= \square + \frac{\square}{2} = \square + \square\frac{\square}{2}$$
$$= \square\frac{\square}{2}$$

12

$$3 \times 2\frac{3}{5} = 3 \times \left(2 + \frac{3}{5}\right)$$
$$= (3 \times \square) + \left(3 \times \frac{\square}{5}\right)$$
$$= \square + \frac{\square}{5} = \square + \square\frac{\square}{5}$$
$$= \square\frac{\square}{5}$$

13

$$8 \times 1\frac{3}{4} = 8 \times \left(1 + \frac{3}{4}\right)$$
$$= (8 \times \square) + \left(8 \times \frac{\square}{4}^{\square}\right)$$
$$= \square + \square = \square$$

14

$$6 \times 3\frac{2}{15} = 6 \times \left(3 + \frac{2}{15}\right)$$
$$= (6 \times \square) + \left(6 \times \frac{\square}{15}^{\square}\right)$$
$$= \square + \frac{\square}{5} = \square\frac{\square}{5}$$

15

$$4 \times 3\frac{9}{10} = 4 \times \left(3 + \frac{9}{10}\right)$$
$$= (4 \times \square) + \left(4 \times \frac{\square}{10}^{\square}\right)$$
$$= \square + \frac{\square}{5} = \square + \square\frac{\square}{5}$$
$$= \square\frac{\square}{5}$$

16

$$12 \times 2\frac{5}{8} = 12 \times \left(2 + \frac{5}{8}\right)$$
$$= (12 \times \square) + \left(12 \times \frac{\square}{8}^{\square}\right)$$
$$= \square + \frac{\square}{2} = \square + \square\frac{\square}{2}$$
$$= \square\frac{\square}{2}$$

④ (자연수)×(대분수)

:: 계산을 하세요.

1 $10 \times 2\frac{2}{9}$

2 $8 \times 4\frac{3}{7}$

3 $7 \times 2\frac{1}{3}$

4 $5 \times 2\frac{4}{7}$

5 $2 \times 5\frac{2}{3}$

6 $3 \times 4\frac{3}{5}$

7 $6 \times 1\frac{1}{17}$

8 $4 \times 1\frac{2}{5}$

9 $5 \times 3\frac{1}{3}$

10 $2 \times 2\frac{3}{5}$

11 $8 \times 1\frac{7}{9}$

12 $7 \times 1\frac{2}{13}$

13 $4 \times 3\frac{3}{10}$

14 $9 \times 1\frac{5}{6}$

15 $6 \times 1\frac{13}{15}$

16 $10 \times 2\frac{7}{30}$

17 $6 \times 2\frac{9}{16}$

18 $8 \times 4\frac{7}{10}$

19 $4 \times 3\frac{5}{8}$

20 $6 \times 2\frac{1}{2}$

21 $4 \times 5\frac{9}{10}$

22 $3 \times 4\frac{5}{9}$

23 $8 \times 2\frac{7}{12}$

24 $9 \times 1\frac{4}{15}$

25 $10 \times 4\frac{1}{4}$

26 $12 \times 3\frac{1}{24}$

실력 up

27 정우 동생의 몸무게는 $32\,\text{kg}$이고, 정우의 몸무게는 정우 동생 몸무게의 $1\frac{5}{8}$배입니다. 정우의 몸무게는 몇 kg일까요?

$$32 \times 1\frac{5}{8} = \boxed{}$$

답 _____

∷ 빈 곳에 알맞은 수를 써넣으세요.

1

| 8 | $\times 1\dfrac{3}{5}$ | |

2

| 2 | $\times 1\dfrac{1}{13}$ | |

3

| 3 | $\times 2\dfrac{3}{4}$ | |

4

| 5 | $\times 2\dfrac{1}{8}$ | |

5

| 6 | $\times 3\dfrac{2}{5}$ | |

6

| 10 | $\times 1\dfrac{2}{15}$ | |

7

| 4 | $\times 3\dfrac{1}{4}$ | |

8

| 3 | $\times 3\dfrac{5}{6}$ | |

9

| 6 | $\times 1\dfrac{5}{12}$ | |

10

| 9 | $\times 1\dfrac{5}{21}$ | |

⁂ 두 수의 곱을 빈 곳에 써넣으세요.

11
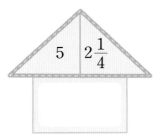

16
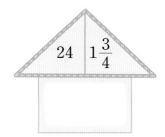

12
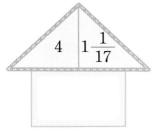

17
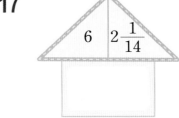

13
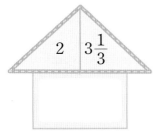

18
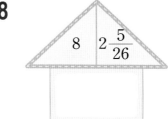

14
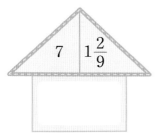

19
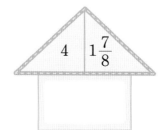

15
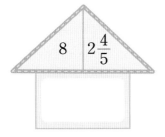

20
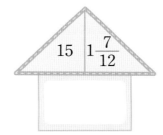

원리 ❺ (진분수)×(진분수)

원리 동영상 강의

○ (진분수)×(진분수) 계산 방법

분모는 분모끼리, 분자는 분자끼리 곱하여 계산합니다.

예 $\dfrac{2}{5} \times \dfrac{9}{10}$ 의 계산

방법 1 $\dfrac{2}{5} \times \dfrac{9}{10} = \dfrac{2 \times 9}{5 \times 10} = \dfrac{\overset{9}{18}}{\underset{25}{50}} = \dfrac{9}{25}$ → 분모끼리, 분자끼리 곱한 다음 약분하여 계산하기

방법 2 $\dfrac{2}{5} \times \dfrac{9}{10} = \dfrac{2 \times 9}{5 \times \underset{5}{10}} = \dfrac{9}{25}$ → 분모끼리, 분자끼리 곱하는 과정에서 약분하여 계산하기

방법 3 $\dfrac{\overset{1}{2}}{5} \times \dfrac{9}{\underset{5}{10}} = \dfrac{9}{25}$ → 주어진 곱셈에서 바로 약분한 다음 분모끼리, 분자끼리 곱하여 계산하기

뿜뿜이

방법 1 은 계산 끝에서, 방법 2 는 계산 과정에서, 방법 3 은 계산하기 전에 약분을 해!
세 가지 방법 중에서 편리한 방법으로 계산해 봐!

□ 안에 알맞은 수를 써넣으세요.

1 $\dfrac{1}{2} \times \dfrac{1}{4} = \dfrac{1 \times 1}{\square \times \square} = \dfrac{1}{\square}$

2 $\dfrac{1}{5} \times \dfrac{1}{6} = \dfrac{1 \times 1}{\square \times \square} = \dfrac{1}{\square}$

3 $\dfrac{3}{4} \times \dfrac{1}{2} = \dfrac{3 \times \square}{4 \times \square} = \dfrac{\square}{\square}$

4 $\dfrac{2}{3} \times \dfrac{2}{5} = \dfrac{2 \times \square}{3 \times \square} = \dfrac{\square}{\square}$

5 $\dfrac{3}{8} \times \dfrac{5}{6} = \dfrac{3 \times \square}{8 \times \square} = \dfrac{\overset{5}{15}}{\underset{\square}{48}} = \dfrac{\square}{\square}$

6 $\dfrac{8}{9} \times \dfrac{3}{4} = \dfrac{8 \times \square}{9 \times \square} = \dfrac{\overset{2}{24}}{\underset{\square}{36}} = \dfrac{\square}{\square}$

7 $\dfrac{1}{3} \times \dfrac{9}{11} = \dfrac{1 \times \square}{3 \times \square} = \dfrac{\overset{\square}{9}}{\underset{11}{33}} = \dfrac{\square}{\square}$

8 $\dfrac{3}{10} \times \dfrac{2}{9} = \dfrac{3 \times \square}{10 \times \square} = \dfrac{\overset{\square}{6}}{\underset{15}{90}} = \dfrac{\square}{\square}$

9 $\dfrac{4}{9} \times \dfrac{7}{12} = \dfrac{4 \times 7}{9 \times 12} = \dfrac{\square}{\square}$

10 $\dfrac{3}{8} \times \dfrac{4}{5} = \dfrac{3 \times 4}{8 \times 5} = \dfrac{\square}{\square}$

11 $\dfrac{3}{7} \times \dfrac{5}{9} = \dfrac{3 \times 5}{7 \times 9} = \dfrac{\square}{\square}$

12 $\dfrac{1}{6} \times \dfrac{2}{5} = \dfrac{1 \times 2}{6 \times 5} = \dfrac{\square}{\square}$

13 $\dfrac{3}{14} \times \dfrac{2}{3} = \dfrac{3 \times 2}{14 \times 3} = \dfrac{\square}{\square}$

14 $\dfrac{7}{12} \times \dfrac{8}{35} = \dfrac{7 \times 8}{12 \times 35} = \dfrac{\square}{\square}$

15 $\dfrac{3}{4} \times \dfrac{2}{7} = \dfrac{\square}{\square}$

16 $\dfrac{11}{16} \times \dfrac{8}{9} = \dfrac{\square}{\square}$

17 $\dfrac{5}{9} \times \dfrac{3}{10} = \dfrac{\square}{\square}$

18 $\dfrac{5}{8} \times \dfrac{8}{15} = \dfrac{\square}{\square}$

19 $\dfrac{3}{5} \times \dfrac{10}{21} = \dfrac{\square}{\square}$

20 $\dfrac{9}{10} \times \dfrac{16}{27} = \dfrac{\square}{\square}$

⑤ (진분수)×(진분수)

∷ 계산을 하세요.

1 $\dfrac{1}{8} \times \dfrac{1}{4}$

2 $\dfrac{1}{4} \times \dfrac{1}{5}$

3 $\dfrac{1}{7} \times \dfrac{1}{7}$

4 $\dfrac{1}{3} \times \dfrac{2}{7}$

5 $\dfrac{4}{5} \times \dfrac{1}{9}$

6 $\dfrac{4}{5} \times \dfrac{2}{3}$

7 $\dfrac{3}{4} \times \dfrac{5}{7}$

8 $\dfrac{1}{2} \times \dfrac{4}{7}$

9 $\dfrac{6}{11} \times \dfrac{1}{10}$

10 $\dfrac{7}{15} \times \dfrac{5}{9}$

11 $\dfrac{4}{7} \times \dfrac{5}{12}$

12 $\dfrac{8}{9} \times \dfrac{7}{12}$

13 $\dfrac{10}{11} \times \dfrac{7}{15}$

14 $\dfrac{3}{8} \times \dfrac{11}{12}$

15 $\dfrac{3}{5} \times \dfrac{2}{9}$

16 $\dfrac{5}{8} \times \dfrac{6}{7}$

17 $\dfrac{2}{9} \times \dfrac{15}{17}$

18 $\dfrac{7}{10} \times \dfrac{5}{6}$

19 $\dfrac{7}{16} \times \dfrac{3}{14}$

20 $\dfrac{7}{8} \times \dfrac{10}{21}$

21 $\dfrac{4}{9} \times \dfrac{9}{10}$

22 $\dfrac{4}{5} \times \dfrac{5}{18}$

23 $\dfrac{9}{14} \times \dfrac{20}{21}$

24 $\dfrac{9}{16} \times \dfrac{4}{15}$

25 $\dfrac{5}{18} \times \dfrac{12}{25}$

26 $\dfrac{6}{7} \times \dfrac{14}{15}$

실력 **up**

27 넓이가 $\dfrac{12}{25}$ m²인 종이가 있습니다. 이 종이의 $\dfrac{5}{16}$ 에 색칠을 했다면 색칠한 종이의 넓이는 몇 m²일까요?

$$\dfrac{12}{25} \times \dfrac{5}{16} = \boxed{}$$

 답 _____

적용 ⑤ (진분수)×(진분수)

⠿ 두 분수의 곱을 빈 곳에 써넣으세요.

1

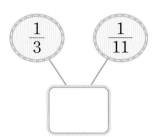

5

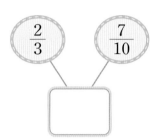

2

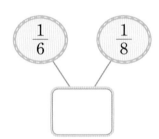

6

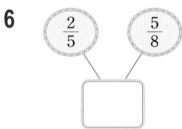

3

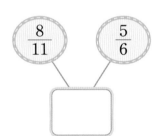

7

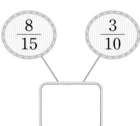

4

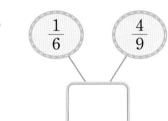

8

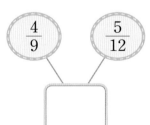

9 $\dfrac{1}{5}$ $\dfrac{1}{7}$

10 $\dfrac{1}{9}$ $\dfrac{3}{8}$

11 $\dfrac{5}{6}$ $\dfrac{4}{7}$

12 $\dfrac{3}{8}$ $\dfrac{4}{5}$

13 $\dfrac{3}{4}$ $\dfrac{7}{18}$

14 $\dfrac{5}{14}$ $\dfrac{3}{5}$

15 $\dfrac{8}{9}$ $\dfrac{3}{16}$

16 $\dfrac{7}{12}$ $\dfrac{10}{11}$

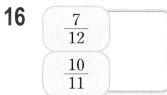

17 $\dfrac{13}{20}$ $\dfrac{15}{52}$

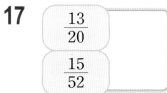

18 $\dfrac{9}{10}$ $\dfrac{7}{12}$

❻ (대분수)×(대분수)

원리 동영상 강의

○ **(대분수)×(대분수) 계산 방법**

대분수를 가분수로 나타낸 다음 분모는 분모끼리, 분자는 분자끼리 곱하여 계산합니다.

예 $2\frac{2}{3} \times 2\frac{1}{2}$의 계산

$$2\frac{2}{3} \times 2\frac{1}{2} = \frac{\overset{4}{\cancel{8}}}{3} \times \frac{5}{\underset{1}{\cancel{2}}} = \frac{20}{3} = 6\frac{2}{3}$$

→ 대분수를 가분수로 나타내고 약분한 다음 분모끼리, 분자끼리 곱하여 계산하기

조심이

대분수를 가분수로 나타내지 않고 약분하면 안 돼!

$$2\overset{1}{\cancel{\frac{2}{3}}} \times 2\frac{1}{\underset{1}{\cancel{2}}} = \frac{7}{3} \times 2 = \frac{14}{3} = 4\frac{2}{3}$$

⠿ □ 안에 알맞은 수를 써넣으세요.

1 $1\frac{1}{2} \times 1\frac{1}{4} = \frac{3}{2} \times \frac{5}{4} = \frac{\square}{\square} = \square\frac{\square}{8}$

2 $1\frac{3}{4} \times 1\frac{2}{5} = \frac{7}{4} \times \frac{7}{5} = \frac{\square}{\square} = \square\frac{\square}{20}$

3 $2\frac{2}{3} \times 1\frac{2}{5} = \frac{8}{3} \times \frac{7}{5} = \frac{\square}{\square} = \square\frac{\square}{15}$

4 $1\frac{1}{3} \times 1\frac{3}{7} = \frac{4}{3} \times \frac{10}{7} = \frac{\square}{\square} = \square\frac{\square}{21}$

5 $3\frac{1}{4} \times 2\frac{1}{3} = \frac{13}{4} \times \frac{7}{3} = \frac{\square}{\square} = \square\frac{\square}{12}$

6 $1\frac{2}{5} \times 1\frac{3}{8} = \frac{7}{5} \times \frac{11}{8} = \frac{\square}{\square} = \square\frac{\square}{40}$

7 $2\frac{3}{4} \times 2\frac{3}{5} = \frac{11}{4} \times \frac{13}{5} = \frac{\square}{\square} = \square\frac{\square}{20}$

8 $1\frac{6}{7} \times 2\frac{1}{6} = \frac{13}{7} \times \frac{13}{6} = \frac{\square}{\square} = \square\frac{\square}{42}$

9 $2\frac{1}{4} \times 3\frac{5}{6} = \frac{\overset{\square}{\cancel{9}}}{4} \times \frac{23}{\underset{\square}{\cancel{6}}} = \frac{\square}{\square} = \square\frac{\square}{8}$

10 $3\frac{3}{7} \times 2\frac{3}{4} = \frac{24}{7} \times \frac{11}{\underset{\square}{\cancel{4}}} = \frac{\square}{\square} = \square\frac{\square}{7}$

11 $1\frac{5}{6} \times 2\frac{2}{7} = \frac{11}{\underset{\square}{\cancel{6}}} \times \frac{\overset{\square}{\cancel{16}}}{7} = \frac{\square}{\square} = \square\frac{\square}{21}$

12 $2\frac{1}{6} \times 1\frac{7}{8} = \frac{13}{\underset{\square}{\cancel{6}}} \times \frac{\overset{\square}{\cancel{15}}}{8} = \frac{\square}{\square} = \square\frac{\square}{16}$

13 $2\frac{5}{8} \times 1\frac{2}{3} = \frac{\overset{\square}{\cancel{21}}}{8} \times \frac{5}{\underset{\square}{\cancel{3}}} = \frac{\square}{\square} = \square\frac{\square}{8}$

14 $2\frac{4}{5} \times 3\frac{1}{4} = \frac{\overset{\square}{\cancel{14}}}{5} \times \frac{13}{\underset{\square}{\cancel{4}}} = \frac{\square}{\square} = \square\frac{\square}{10}$

15 $2\frac{6}{7} \times 5\frac{5}{6} = \frac{\overset{\square}{\cancel{20}}}{7} \times \frac{\overset{\square}{\cancel{35}}}{\underset{\square}{\cancel{6}}} = \frac{\square}{\square} = \square\frac{\square}{3}$

16 $4\frac{2}{3} \times 2\frac{1}{10} = \frac{\overset{\square}{\cancel{14}}}{3} \times \frac{\overset{\square}{\cancel{21}}}{\underset{\square}{\cancel{10}}} = \frac{\square}{\square} = \square\frac{\square}{5}$

17 $2\frac{2}{9} \times 3\frac{3}{8} = \frac{\overset{\square}{\cancel{20}}}{9} \times \frac{\overset{\square}{\cancel{27}}}{\underset{\square}{\cancel{8}}} = \frac{\square}{\square} = \square\frac{\square}{2}$

18 $4\frac{1}{5} \times 3\frac{4}{7} = \frac{\overset{\square}{\cancel{21}}}{5} \times \frac{\overset{\square}{\cancel{25}}}{\underset{\square}{\cancel{7}}} = \frac{\square}{\square} = \square$

19 $2\frac{4}{9} \times 1\frac{1}{2} = \frac{\overset{\square}{\cancel{22}}}{9} \times \frac{\overset{\square}{\cancel{3}}}{\underset{\square}{\cancel{2}}} = \frac{\square}{\square} = \square\frac{\square}{3}$

20 $5\frac{1}{3} \times 1\frac{7}{8} = \frac{\overset{\square}{\cancel{16}}}{3} \times \frac{\overset{\square}{\cancel{15}}}{8} = \frac{\square}{\square} = \square$

:: 계산을 하세요.

1 $2\dfrac{1}{4} \times 1\dfrac{4}{5}$

2 $1\dfrac{3}{4} \times 1\dfrac{1}{2}$

3 $2\dfrac{1}{3} \times 3\dfrac{1}{3}$

4 $1\dfrac{2}{5} \times 3\dfrac{1}{4}$

5 $3\dfrac{1}{8} \times 1\dfrac{2}{3}$

6 $1\dfrac{4}{5} \times 3\dfrac{1}{2}$

7 $2\dfrac{3}{5} \times 1\dfrac{3}{4}$

8 $3\dfrac{3}{4} \times 1\dfrac{2}{3}$

9 $2\dfrac{7}{10} \times 8\dfrac{1}{3}$

10 $1\dfrac{5}{7} \times 2\dfrac{1}{8}$

11 $2\dfrac{6}{7} \times 4\dfrac{3}{8}$

12 $2\dfrac{2}{3} \times 2\dfrac{1}{2}$

13 $2\dfrac{1}{12} \times 4\dfrac{1}{5}$

14 $3\dfrac{1}{5} \times 2\dfrac{1}{4}$

15 $1\dfrac{5}{9} \times 3\dfrac{6}{7}$

16 $1\dfrac{5}{6} \times 2\dfrac{1}{7}$

17 $2\dfrac{3}{5} \times 2\dfrac{6}{7}$

18 $5\dfrac{1}{3} \times 2\dfrac{1}{6}$

19 $1\dfrac{2}{9} \times 10\dfrac{1}{2}$

20 $3\dfrac{3}{5} \times 6\dfrac{2}{3}$

21 $2\dfrac{5}{8} \times 1\dfrac{5}{7}$

22 $3\dfrac{3}{4} \times 2\dfrac{6}{7}$

23 $2\dfrac{2}{5} \times 2\dfrac{5}{6}$

24 $1\dfrac{2}{7} \times 1\dfrac{5}{6}$

25 $2\dfrac{3}{5} \times 1\dfrac{3}{7}$

26 $2\dfrac{7}{10} \times 2\dfrac{7}{9}$

실력 up

27 밑변의 길이가 $1\dfrac{1}{5}$ cm, 높이가 $2\dfrac{1}{12}$ cm
인 평행사변형의 넓이는 몇 cm²일까요?

$$1\dfrac{1}{5} \times 2\dfrac{1}{12} = \boxed{}$$

 답 _____

⬚ 안에 알맞은 수를 써넣으세요.

1 $1\dfrac{1}{5}$ ➡ $\times 2\dfrac{3}{5}$ ➡ ⬚

2 $4\dfrac{1}{2}$ ➡ $\times 2\dfrac{1}{7}$ ➡ ⬚

3 $2\dfrac{1}{6}$ ➡ $\times 4\dfrac{2}{7}$ ➡ ⬚

4 $1\dfrac{1}{4}$ ➡ $\times 2\dfrac{2}{3}$ ➡ ⬚

5 $2\dfrac{2}{11}$ ➡ $\times 1\dfrac{3}{8}$ ➡ ⬚

6 $2\dfrac{4}{5}$ ➡ $\times 3\dfrac{1}{8}$ ➡ ⬚

7 $3\dfrac{3}{7}$ ➡ $\times 4\dfrac{9}{10}$ ➡ ⬚

8 $5\dfrac{5}{9}$ ➡ $\times 3\dfrac{3}{4}$ ➡ ⬚

9 $4\dfrac{2}{3}$ ➡ $\times 1\dfrac{5}{6}$ ➡ ⬚

10 $2\dfrac{4}{7}$ ➡ $\times 2\dfrac{1}{6}$ ➡ ⬚

:: 빈 곳에 알맞은 수를 써넣으세요.

11

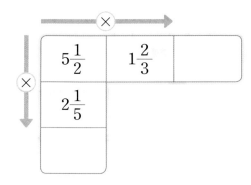

14

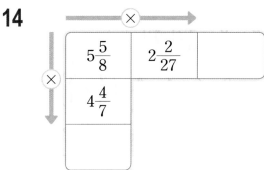

12

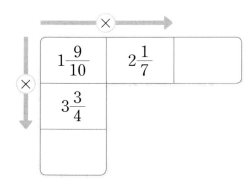

15

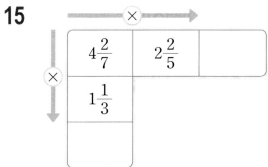

13

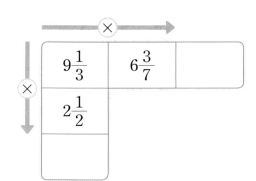

16

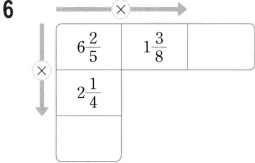

:: 계산을 하세요.

1　$\dfrac{3}{5} \times 3$

7　$8 \times \dfrac{5}{12}$

2　$\dfrac{5}{18} \times 6$

8　$4 \times \dfrac{7}{8}$

3　$\dfrac{7}{12} \times 4$

9　$10 \times \dfrac{4}{15}$

4　$1\dfrac{5}{6} \times 4$

10　$3 \times 1\dfrac{1}{7}$

5　$3\dfrac{1}{7} \times 2$

11　$8 \times 2\dfrac{3}{10}$

6　$2\dfrac{4}{9} \times 6$

12　$6 \times 1\dfrac{3}{4}$

13 $\dfrac{1}{5} \times \dfrac{1}{5}$

14 $\dfrac{1}{8} \times \dfrac{4}{9}$

15 $\dfrac{6}{7} \times \dfrac{14}{15}$

16 $\dfrac{4}{7} \times \dfrac{11}{12}$

17 $1\dfrac{1}{6} \times 2\dfrac{1}{3}$

18 $1\dfrac{2}{3} \times 3\dfrac{4}{5}$

19 $1\dfrac{9}{14} \times 9\dfrac{1}{3}$

20 $5\dfrac{5}{6} \times 3\dfrac{4}{7}$

21 $\dfrac{1}{7} \times \dfrac{1}{2} \times \dfrac{1}{2}$

22 $\dfrac{3}{4} \times \dfrac{7}{20} \times \dfrac{4}{7}$

23 $\dfrac{4}{9} \times 1\dfrac{3}{5} \times 1\dfrac{1}{4}$

24 $2\dfrac{5}{12} \times 1\dfrac{1}{3} \times 3\dfrac{4}{9}$

:: 빈 곳에 알맞은 수를 써넣으세요.

25

| $\dfrac{5}{8}$ | $\times 10$ | |

26

| $1\dfrac{5}{6}$ | $\times 9$ | |

27

| 20 | $\times \dfrac{7}{12}$ | |

28

| 6 | $\times 5\dfrac{2}{3}$ | |

:: 두 분수의 곱을 빈 곳에 써넣으세요.

29

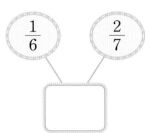

30

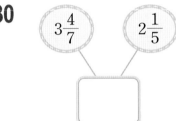

:: 세 분수의 곱을 빈 곳에 써넣으세요.

31

| $\dfrac{2}{3}$ | $\dfrac{1}{5}$ |
| $\dfrac{5}{8}$ | |

32

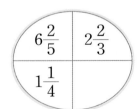

3 소수의 곱셈

강화

🎪 학습 계획표

학습 내용	원리	연습	적용
❶ (1보다 작은 소수)×(자연수)	Day **31**	Day **32**	Day **33**
❷ (1보다 큰 소수)×(자연수)	Day **34**	Day **35**	Day **36**
❸ (자연수)×(1보다 작은 소수)	Day **37**	Day **38**	Day **39**
❹ (자연수)×(1보다 큰 소수)	Day **40**	Day **41**	Day **42**
❺ (1보다 작은 소수)×(1보다 작은 소수)	Day **43**	Day **44**	Day **45**
❻ (1보다 큰 소수)×(1보다 큰 소수)	Day **46**	Day **47**	Day **48**
❼ 곱의 소수점의 위치	Day **49**	Day **50**	Day **51**
평가		Day **52**	

📖 학습 관리 **tip** 맨 앞장의 학습 플래너를 이용하여 학습 스케줄을 관리하도록 하세요!

❶ (1보다 작은 소수)×(자연수)

원리 동영상 강의

◎ (1보다 작은 소수)×(자연수) 계산 방법

방법 1 소수를 분모가 10, 100인 분수로 고쳐서 계산한 다음 다시 소수로 나타냅니다.

$$0.2 \times 6 = \frac{2}{10} \times 6 = \frac{2 \times 6}{10} = \frac{12}{10} = 1.2$$

방법 2 자연수의 곱셈과 같이 계산하고, 곱의 소수점 아래 자릿수가 곱해지는 수의 소수점 아래 자릿수와 같도록 소수점을 찍습니다.

	0 . 2
×	6

➡

	2
×	6
	1 2

➡

	0 . 2	→ 곱해지는 수가 소수 한 자리 수
×	6	
	1 . 2	→ 곱도 소수 한 자리 수

뿡뿡이

소수 한 자리 수에 자연수를 곱하면 곱도 소수 한 자리 수가 되고, 소수 두 자리 수에 자연수를 곱하면 곱도 소수 두 자리 수가 돼!

∷ □ 안에 알맞은 수를 써넣으세요.

1 0.7×4

$$= \frac{\boxed{}}{10} \times 4 = \frac{\boxed{} \times \boxed{}}{10} = \frac{\boxed{}}{10} = \boxed{}$$

2 0.4×9

$$= \frac{\boxed{}}{10} \times 9 = \frac{\boxed{} \times \boxed{}}{10} = \frac{\boxed{}}{10} = \boxed{}$$

3 0.8×6

$$= \frac{\boxed{}}{10} \times 6 = \frac{\boxed{} \times \boxed{}}{10} = \frac{\boxed{}}{10} = \boxed{}$$

4 0.6×7

$$= \frac{\boxed{}}{10} \times 7 = \frac{\boxed{} \times \boxed{}}{10} = \frac{\boxed{}}{10} = \boxed{}$$

5 $0.54 \times 7 = \frac{\boxed{}}{100} \times 7 = \frac{\boxed{} \times \boxed{}}{100}$

$$= \frac{\boxed{}}{100} = \boxed{}$$

6 $0.92 \times 3 = \frac{\boxed{}}{100} \times 3 = \frac{\boxed{} \times \boxed{}}{100}$

$$= \frac{\boxed{}}{100} = \boxed{}$$

7 $0.21 \times 8 = \frac{\boxed{}}{100} \times 8 = \frac{\boxed{} \times \boxed{}}{100}$

$$= \frac{\boxed{}}{100} = \boxed{}$$

8 $0.34 \times 6 = \frac{\boxed{}}{100} \times 6 = \frac{\boxed{} \times \boxed{}}{100}$

$$= \frac{\boxed{}}{100} = \boxed{}$$

:: 계산을 하세요.

9
$$\begin{array}{r} 0.5 \\ \times \quad 3 \\ \hline \end{array}$$

10
$$\begin{array}{r} 0.6 \\ \times \quad 9 \\ \hline \end{array}$$

11
$$\begin{array}{r} 0.4 \\ \times \quad 6 \\ \hline \end{array}$$

12
$$\begin{array}{r} 0.2 \\ \times \quad 7 \\ \hline \end{array}$$

13
$$\begin{array}{r} 0.3 \\ \times \quad 4 \\ \hline \end{array}$$

14
$$\begin{array}{r} 0.9 \\ \times \quad 4 \\ \hline \end{array}$$

15
$$\begin{array}{r} 0.9\,1 \\ \times \quad 4 \\ \hline \end{array}$$

16
$$\begin{array}{r} 0.7\,3 \\ \times \quad 7 \\ \hline \end{array}$$

17
$$\begin{array}{r} 0.3\,2 \\ \times \quad 4 \\ \hline \end{array}$$

18
$$\begin{array}{r} 0.2\,6 \\ \times \quad 3 \\ \hline \end{array}$$

19
$$\begin{array}{r} 0.4\,7 \\ \times \quad 4 \\ \hline \end{array}$$

20
$$\begin{array}{r} 0.5\,8 \\ \times \quad 4 \\ \hline \end{array}$$

❶ (1보다 작은 소수) × (자연수)

∷ 계산을 하세요.

1 0.5×7

2 0.3×9

3 0.8×2

4 0.2×3

5 0.6×4

6 0.1×8

7 0.4×7

8 0.7×3

9 0.4×2

10 0.9×6

11 0.1×5

12 0.7×2

13 0.5×9

14 0.8×3

정확성 **up!**

15 0.14×2

16 0.36×3

17 0.24×4

18 0.61×5

19 0.27×3

20 0.86×2

21 0.95×5

22 0.49×7

23 0.31×8

24 0.72×3

25 0.19×5

26 0.74×6

정확성 up!

3. 소수의 곱셈

실력 up

27 강낭콩이 한 봉지에 $0.42\,\text{kg}$씩 들어 있습니다. 6봉지에 들어 있는 강낭콩은 모두 몇 kg일까요?

$$0.42 \times 6 = \boxed{}$$

답 _____

❶ (1보다 작은 소수) × (자연수)

:: 계산 결과를 찾아 이으세요.

1

0.1×9 •   • 0.9

0.7×5 •   • 3.2

0.8×4 •   • 3.5

5

0.12×3 •   • 0.86

0.43×2 •   • 0.36

0.37×4 •   • 1.48

2

0.3×6 •   • 1.6

0.9×3 •   • 2.7

0.2×8 •   • 1.8

6

0.52×4 •   • 0.48

0.16×3 •   • 1.22

0.61×2 •   • 2.08

3

0.6×8 •   • 1.8

0.5×5 •   • 4.8

0.2×9 •   • 2.5

7

0.75×3 •   • 2.76

0.87×2 •   • 2.25

0.69×4 •   • 1.74

4

0.2×6 •   • 1.2

0.4×8 •   • 1.5

0.3×5 •   • 3.2

8

0.33×2 •   • 2.12

0.53×4 •   • 0.66

0.62×3 •   • 1.86

:: 빈 곳에 알맞은 수를 써넣으세요.

9

0.3	7	
0.9	5	

13

0.11	9	
0.29	3	

10

0.2	4	
0.7	6	

14

0.45	3	
0.56	4	

11

0.8	8	
0.6	3	

15

0.76	2	
0.35	7	

12

0.9	7	
0.4	4	

16

0.23	5	
0.46	6	

원리 동영상 강의

❷ (1보다 큰 소수) × (자연수)

○ **(1보다 큰 소수) × (자연수) 계산 방법**

방법 1 소수를 분모가 10, 100인 분수로 고쳐서 계산한 다음 다시 소수로 나타냅니다.

$$1.3 \times 4 = \frac{13}{10} \times 4 = \frac{13 \times 4}{10} = \frac{52}{10} = 5.2$$

방법 2 자연수의 곱셈과 같이 계산하고, 곱의 소수점 아래 자릿수가 곱해지는 수의 소수점 아래 자릿수와 같도록 소수점을 찍습니다.

	1	3
×		4
	1	2

⇨

	1	3
×		4
	1	2
	4	

⇨

	1 .	3
×		4
	1	2
	4	
	5 .	2

→ 곱해지는 수가 소수 한 자리 수

→ 곱도 소수 한 자리 수

> **조심이**
> 자연수의 곱셈과 같은 방법으로 계산하고 소수점을 잊지 말고 꼭 찍어!

❖❖ □ 안에 알맞은 수를 써넣으세요.

1 $5.1 \times 4 = \dfrac{\boxed{}}{10} \times 4 = \dfrac{\boxed{} \times \boxed{}}{10}$

$= \dfrac{\boxed{}}{10} = \boxed{}$

2 $1.9 \times 6 = \dfrac{\boxed{}}{10} \times 6 = \dfrac{\boxed{} \times \boxed{}}{10}$

$= \dfrac{\boxed{}}{10} = \boxed{}$

3 $4.7 \times 6 = \dfrac{\boxed{}}{10} \times 6 = \dfrac{\boxed{} \times \boxed{}}{10}$

$= \dfrac{\boxed{}}{10} = \boxed{}$

4 $6.5 \times 3 = \dfrac{\boxed{}}{10} \times 3 = \dfrac{\boxed{} \times \boxed{}}{10}$

$= \dfrac{\boxed{}}{10} = \boxed{}$

5 $1.08 \times 9 = \dfrac{\boxed{}}{100} \times 9 = \dfrac{\boxed{} \times \boxed{}}{100}$

$= \dfrac{\boxed{}}{100} = \boxed{}$

6 $1.53 \times 3 = \dfrac{\boxed{}}{100} \times 3 = \dfrac{\boxed{} \times \boxed{}}{100}$

$= \dfrac{\boxed{}}{100} = \boxed{}$

7 $2.17 \times 5 = \dfrac{\boxed{}}{100} \times 5 = \dfrac{\boxed{} \times \boxed{}}{100}$

$= \dfrac{\boxed{}}{100} = \boxed{}$

8 $4.23 \times 4 = \dfrac{\boxed{}}{100} \times 4 = \dfrac{\boxed{} \times \boxed{}}{100}$

$= \dfrac{\boxed{}}{100} = \boxed{}$

계산을 하세요.

9
```
    7 . 9
×     8
```

10
```
    1 . 5
×     5
```

11
```
    2 . 9
×     4
```

12
```
    3 . 6
×     7
```

13
```
    4 . 3
×     5
```

14
```
    5 . 3
×     6
```

15
```
    7 . 1 8
×       2
```

16
```
    4 . 0 2
×       6
```

17
```
    1 . 3 4
×       3
```

18
```
    2 . 0 7
×       8
```

19
```
    3 . 2 5
×       3
```

20
```
    5 . 2 1
×       4
```

❷ (1보다 큰 소수) × (자연수)

:: 계산을 하세요.

1 2.3×5

2 8.8×3

3 5.2×7

4 1.3×5

5 3.2×7

6 5.7×8

7 6.7×4

8 1.6×4

9 6.3×5

10 3.1×2

11 9.4×4

12 2.6×6

13 7.5×3

14 8.2×4

정확성 **up!**

15 1.31×2

16 7.53×5

17 3.29×4

18 8.84×7

19 6.08×2

20 5.23×4

21 4.74×6

22 6.54×9

23 9.85×5

24 2.24×6

25 3.13×2

26 2.92×3

정확성 **up!**

 실력 **up**

27 가로가 4.34 cm이고 세로가 2 cm인 직사각형의 넓이는 몇 cm²일까요?

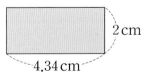

2 cm

4.34 cm

$4.34 \times 2 =$ ☐

답 _____

❷ (1보다 큰 소수) × (자연수)

:: 빈 곳에 알맞은 수를 써넣으세요.

1
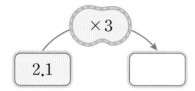

$2.1 \xrightarrow{\times 3} \boxed{}$

5
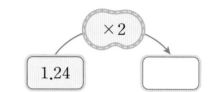

$1.24 \xrightarrow{\times 2} \boxed{}$

2
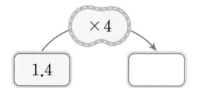

$1.4 \xrightarrow{\times 4} \boxed{}$

6
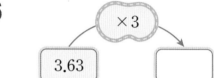

$3.63 \xrightarrow{\times 3} \boxed{}$

3
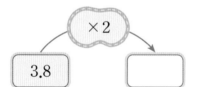

$3.8 \xrightarrow{\times 2} \boxed{}$

7
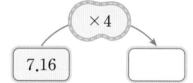

$7.16 \xrightarrow{\times 4} \boxed{}$

4
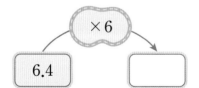

$6.4 \xrightarrow{\times 6} \boxed{}$

8
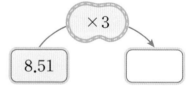

$8.51 \xrightarrow{\times 3} \boxed{}$

⠿ ☐ 안에 알맞은 수를 써넣으세요.

9

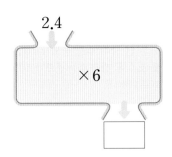

13

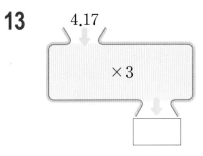

10

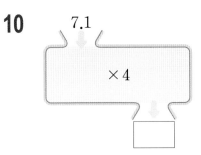

14

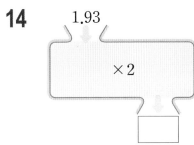

11

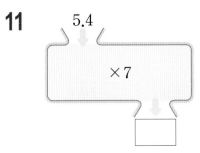

15

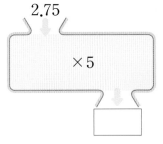

12

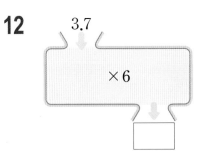

16

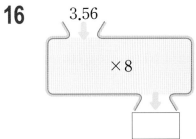

원리

❸ (자연수)×(1보다 작은 소수)

● (자연수)×(1보다 작은 소수) 계산 방법

방법 1 소수를 분모가 10, 100인 분수로 고쳐서 계산한 다음 다시 소수로 나타냅니다.

$$3 \times 0.7 = 3 \times \frac{7}{10} = \frac{3 \times 7}{10} = \frac{21}{10} = 2.1$$

방법 2 자연수의 곱셈과 같이 계산하고, 곱의 소수점 아래 자릿수가 곱하는 수의 소수점 아래 자릿수와 같도록 소수점을 찍습니다.

		3
×	0 .	7

➡

		3
×		7
	2	1

➡

		3
×	0 .	7
	2 .	1

→ 곱하는 수가 소수 한 자리 수
→ 곱도 소수 한 자리 수

> **뽕뽕이**
> 소수 한 자리 수는 분모가 10인 분수로 소수 두 자리 수는 분모가 100인 분수로 나타내!

∷ ☐ 안에 알맞은 수를 써넣으세요.

1 2×0.4

$= 2 \times \dfrac{\boxed{}}{10} = \dfrac{\boxed{} \times \boxed{}}{10} = \dfrac{\boxed{}}{10} = \boxed{}$

2 4×0.8

$= 4 \times \dfrac{\boxed{}}{10} = \dfrac{\boxed{} \times \boxed{}}{10} = \dfrac{\boxed{}}{10} = \boxed{}$

3 8×0.9

$= 8 \times \dfrac{\boxed{}}{10} = \dfrac{\boxed{} \times \boxed{}}{10} = \dfrac{\boxed{}}{10} = \boxed{}$

4 5×0.7

$= 5 \times \dfrac{\boxed{}}{10} = \dfrac{\boxed{} \times \boxed{}}{10} = \dfrac{\boxed{}}{10} = \boxed{}$

5 $6 \times 0.12 = 6 \times \dfrac{\boxed{}}{100} = \dfrac{\boxed{} \times \boxed{}}{100}$

$= \dfrac{\boxed{}}{100} = \boxed{}$

6 $3 \times 0.36 = 3 \times \dfrac{\boxed{}}{100} = \dfrac{\boxed{} \times \boxed{}}{100}$

$= \dfrac{\boxed{}}{100} = \boxed{}$

7 $7 \times 0.74 = 7 \times \dfrac{\boxed{}}{100} = \dfrac{\boxed{} \times \boxed{}}{100}$

$= \dfrac{\boxed{}}{100} = \boxed{}$

8 $9 \times 0.56 = 9 \times \dfrac{\boxed{}}{100} = \dfrac{\boxed{} \times \boxed{}}{100}$

$= \dfrac{\boxed{}}{100} = \boxed{}$

계산을 하세요.

9

		5
×	0 .	3

10

		6
×	0 .	2

11

		8
×	0 .	7

12

		4
×	0 .	6

13

		3
×	0 .	6

14

		7
×	0 .	3

15

		4
×	0 . 1	3

16

		9
×	0 . 2	4

17

		7
×	0 . 4	2

18

		8
×	0 . 3	4

19

		6
×	0 . 7	3

20

		5
×	0 . 2	3

❸ (자연수) × (1보다 작은 소수)

∷ 곱셈식을 보고 계산을 하세요.

1 $4 \times 9 = 36$

$$\begin{array}{l} 4 \times 0.9 \\ 4 \times 0.09 \end{array}$$

2 $7 \times 6 = 42$

$$\begin{array}{l} 7 \times 0.6 \\ 7 \times 0.06 \end{array}$$

3 $6 \times 6 = 36$

$$\begin{array}{l} 6 \times 0.6 \\ 6 \times 0.06 \end{array}$$

4 $5 \times 9 = 45$

$$\begin{array}{l} 5 \times 0.9 \\ 5 \times 0.09 \end{array}$$

5 $2 \times 7 = 14$

$$\begin{array}{l} 2 \times 0.7 \\ 2 \times 0.07 \end{array}$$

6 $3 \times 8 = 24$

$$\begin{array}{l} 3 \times 0.8 \\ 3 \times 0.08 \end{array}$$

7 $12 \times 6 = 72$

$$\begin{array}{l} 12 \times 0.6 \\ 12 \times 0.06 \end{array}$$

8 $21 \times 3 = 63$

$$\begin{array}{l} 21 \times 0.3 \\ 21 \times 0.03 \end{array}$$

9 $11 \times 5 = 55$

$$\begin{array}{l} 11 \times 0.5 \\ 11 \times 0.05 \end{array}$$

10 $13 \times 7 = 91$

$$\begin{array}{l} 13 \times 0.7 \\ 13 \times 0.07 \end{array}$$

11 $43 \times 5 = 215$

$$\begin{array}{l} 43 \times 0.5 \\ 43 \times 0.05 \end{array}$$

12 $36 \times 4 = 144$

$$\begin{array}{l} 36 \times 0.4 \\ 36 \times 0.04 \end{array}$$

:: 계산을 하세요.

13 2×0.2

14 5×0.4

15 9×0.9

16 8×0.6

17 17×0.4

18 11×0.3

19 8×0.72

20 6×0.23

21 46×0.11

22 52×0.14

23 38×0.18

24 24×0.07

정확성 up!

실력 up

25 금성에서 잰 몸무게는 지구에서 잰 몸무게의 약 0.9배입니다.
지구에서 잰 몸무게가 36 kg인 현진이의 몸무게는 금성에서
재면 약 몇 kg일까요?

$$36 \times 0.9 = \boxed{}$$

답 _____

∷ 빈 곳에 알맞은 수를 써넣으세요.

1 3 → ×0.9 →

2 4 → ×0.4 →

3 2 → ×0.3 →

4 6 → ×0.5 →

5 7 → ×0.7 →

6 9 → ×0.02 →

7 12 → ×0.03 →

8 13 → ×0.16 →

9 21 → ×0.42 →

10 31 → ×0.25 →

11

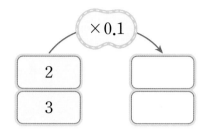

$\times 0.1$

| 2 |
| 3 |

12

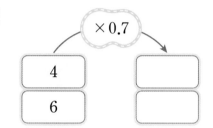

$\times 0.7$

| 4 |
| 6 |

13

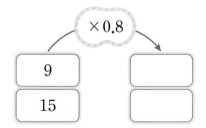

$\times 0.8$

| 9 |
| 15 |

14

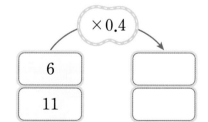

$\times 0.4$

| 6 |
| 11 |

15

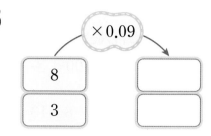

$\times 0.09$

| 8 |
| 3 |

16

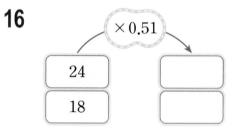

$\times 0.51$

| 24 |
| 18 |

17

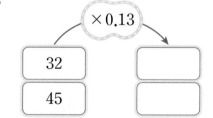

$\times 0.13$

| 32 |
| 45 |

18

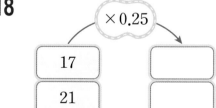

$\times 0.25$

| 17 |
| 21 |

원리 ❹ (자연수)×(1보다 큰 소수)

◎ (자연수)×(1보다 큰 소수) 계산 방법

방법 1 소수를 분모가 10, 100인 분수로 고쳐서 계산한 다음 다시 소수로 나타냅니다.

$$8 \times 1.3 = 8 \times \frac{13}{10} = \frac{8 \times 13}{10} = \frac{104}{10} = 10.4$$

방법 2 자연수의 곱셈과 같이 계산하고, 곱의 소수점 아래 자릿수가 곱하는 수의 소수점 아래 자릿수와 같도록 소수점을 찍습니다.

$$
\begin{array}{r}
8 \\
\times\ 1\ 3 \\
\hline
2\ 4 \\
\end{array}
\Rightarrow
\begin{array}{r}
8 \\
\times\ 1\ 3 \\
\hline
2\ 4 \\
8 \\
\end{array}
\Rightarrow
\begin{array}{r}
8 \\
\times\ 1\ .\ 3 \\
\hline
2\ 4 \\
8 \\
\hline
1\ 0\ .\ 4 \\
\end{array}
$$

→ 곱하는 수가 소수 한 자리 수

→ 곱도 소수 한 자리 수

뚱뚱이

소수에서 오른쪽 끝자리 0은 생략하여 나타낼 수 있어.

$$4 \times 1.15 = 4 \times \frac{115}{100} = \frac{4 \times 115}{100}$$
$$= \frac{460}{100} = 4.6\cancel{0}$$

⠿ ☐ 안에 알맞은 수를 써넣으세요.

1 $5 \times 1.9 = 5 \times \dfrac{\boxed{}}{10} = \dfrac{\boxed{} \times \boxed{}}{10}$
$= \dfrac{\boxed{}}{10} = \boxed{}$

2 $4 \times 2.7 = 4 \times \dfrac{\boxed{}}{10} = \dfrac{\boxed{} \times \boxed{}}{10}$
$= \dfrac{\boxed{}}{10} = \boxed{}$

3 $6 \times 3.2 = 6 \times \dfrac{\boxed{}}{10} = \dfrac{\boxed{} \times \boxed{}}{10}$
$= \dfrac{\boxed{}}{10} = \boxed{}$

4 $3 \times 7.4 = 3 \times \dfrac{\boxed{}}{10} = \dfrac{\boxed{} \times \boxed{}}{10}$
$= \dfrac{\boxed{}}{10} = \boxed{}$

5 $2 \times 2.01 = 2 \times \dfrac{\boxed{}}{100} = \dfrac{\boxed{} \times \boxed{}}{100}$
$= \dfrac{\boxed{}}{100} = \boxed{}$

6 $3 \times 1.94 = 3 \times \dfrac{\boxed{}}{100} = \dfrac{\boxed{} \times \boxed{}}{100}$
$= \dfrac{\boxed{}}{100} = \boxed{}$

7 $7 \times 4.16 = 7 \times \dfrac{\boxed{}}{100} = \dfrac{\boxed{} \times \boxed{}}{100}$
$= \dfrac{\boxed{}}{100} = \boxed{}$

8 $20 \times 3.21 = 20 \times \dfrac{\boxed{}}{100} = \dfrac{\boxed{} \times \boxed{}}{100}$
$= \dfrac{\boxed{}}{100} = \boxed{}$

::: 계산을 하세요.

9
```
      2
×  5 . 2
```

10
```
      3
×  4 . 6
```

11
```
      6
×  1 . 8
```

12
```
      9
×  2 . 6
```

13
```
      5
×  3 . 7
```

14
```
      4
×  6 . 3
```

15
```
      7
×  3 . 0  3
```

16
```
      8
×  1 . 5  6
```

17
```
    3  0
×  2 . 1  4
```

18
```
      3
×  4 . 2  5
```

19
```
    1  2
×  1 . 5  6
```

20
```
      9
×  5 . 3  6
```

❹ (자연수) × (1보다 큰 소수)

:: 곱셈식을 보고 계산을 하세요.

1 $3 \times 121 = 363$

$\quad$ 3×12.1
$\quad$ 3×1.21

2 $2 \times 243 = 486$

$\quad$ 2×24.3
$\quad$ 2×2.43

3 $5 \times 185 = 925$

$\quad$ 5×18.5
$\quad$ 5×1.85

4 $8 \times 314 = 2512$

$\quad$ 8×31.4
$\quad$ 8×3.14

5 $4 \times 602 = 2408$

$\quad$ 4×60.2
$\quad$ 4×6.02

6 $11 \times 512 = 5632$

$\quad$ 11×51.2
$\quad$ 11×5.12

7 $6 \times 421 = 2526$

$\quad$ 6×42.1
$\quad$ 6×4.21

8 $7 \times 138 = 966$

$\quad$ 7×13.8
$\quad$ 7×1.38

9 $9 \times 542 = 4878$

$\quad$ 9×54.2
$\quad$ 9×5.42

10 $12 \times 111 = 1332$

$\quad$ 12×11.1
$\quad$ 12×1.11

11 $3 \times 163 = 489$

$\quad$ 3×16.3
$\quad$ 3×1.63

12 $20 \times 365 = 7300$

$\quad$ 20×36.5
$\quad$ 20×3.65

계산을 하세요.

13 8×1.6

14 9×1.7

15 7×1.5

16 5×3.2

17 2×3.7

18 25×1.3

19 3×1.16

20 4×2.08

21 7×2.13

22 6×1.47

23 32×2.45

24 30×5.06

정확성 **up!**

실력 **up**

25 정현이의 몸무게는 $45\,\text{kg}$이고, 아버지의 몸무게는 정현이 몸무게의 1.8배입니다. 아버지의 몸무게는 몇 kg일까요?

$$45 \times 1.8 = \boxed{}$$

답 _____

❹ (자연수)×(1보다 큰 소수)

❖ 빈 곳에 알맞은 수를 써넣으세요.

1

| 3 | ×1.3 | |

2

| 7 | ×1.8 | |

3

| 4 | ×5.2 | |

4

| 5 | ×3.9 | |

5

| 9 | ×4.5 | |

6

| 8 | ×2.42 | |

7

| 6 | ×3.06 | |

8

| 2 | ×4.58 | |

9

| 40 | ×4.02 | |

10

| 12 | ×3.16 | |

두 수의 곱을 구하여 빈 곳에 써넣으세요.

11
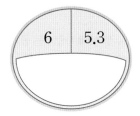

16
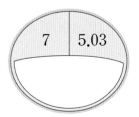

12
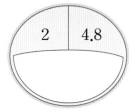

17
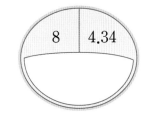

13
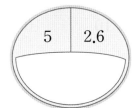

18
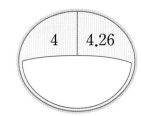

14
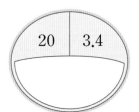

19
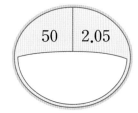

15
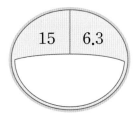

20
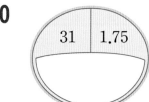

원리

❺ (1보다 작은 소수)×(1보다 작은 소수)

◎ (1보다 작은 소수)×(1보다 작은 소수) 계산 방법

방법 1 소수를 분모가 10, 100인 분수로 고쳐서 계산한 다음 다시 소수로 나타냅니다.

$$0.7 \times 0.6 = \frac{7}{10} \times \frac{6}{10} = \frac{7 \times 6}{100} = \frac{42}{100} = 0.42$$

방법 2 자연수의 곱셈과 같이 계산하고, 곱의 소수점 아래 자릿수가 곱하는 두 수의 소수점 아래 자릿수의 합과 같도록 소수점을 찍습니다.

	0	.	7
×	0	.	6

➡

	7
×	6
4	2

➡

	0	.	7	→ 소수 ㉤ 자리 수
×	0	.	6	→ 소수 ㉤ 자리 수
0	.	4	2	→ 소수 ㉤ 자리 수

> **뿅뿅이**
> 곱의 소수점 아래 자릿수는 곱하는 두 소수의 소수점 아래 자릿수의 합과 같아!

⁙ □ 안에 알맞은 수를 써넣으세요.

1 $0.3 \times 0.9 = \dfrac{\square}{10} \times \dfrac{\square}{10} = \dfrac{\square \times \square}{100}$
$= \dfrac{\square}{100} = \square$

2 $0.6 \times 0.8 = \dfrac{\square}{10} \times \dfrac{\square}{10} = \dfrac{\square \times \square}{100}$
$= \dfrac{\square}{100} = \square$

3 $0.4 \times 0.9 = \dfrac{\square}{10} \times \dfrac{\square}{10} = \dfrac{\square \times \square}{100}$
$= \dfrac{\square}{100} = \square$

4 $0.05 \times 0.4 = \dfrac{\square}{100} \times \dfrac{\square}{10} = \dfrac{\square \times \square}{1000}$
$= \dfrac{\square}{1000} = \square$

5 $0.42 \times 0.2 = \dfrac{\square}{100} \times \dfrac{\square}{10} = \dfrac{\square \times \square}{1000}$
$= \dfrac{\square}{1000} = \square$

6 $0.4 \times 0.58 = \dfrac{\square}{10} \times \dfrac{\square}{100} = \dfrac{\square \times \square}{1000}$
$= \dfrac{\square}{1000} = \square$

7 $0.09 \times 0.15 = \dfrac{\square}{100} \times \dfrac{\square}{100} = \dfrac{\square \times \square}{10000}$
$= \dfrac{\square}{10000} = \square$

8 $0.34 \times 0.43 = \dfrac{\square}{100} \times \dfrac{\square}{100} = \dfrac{\square \times \square}{10000}$
$= \dfrac{\square}{10000} = \square$

계산을 하세요.

9
```
    0 . 8
×   0 . 2
```

10
```
    0 . 7
×   0 . 4
```

11
```
    0 . 3
×   0 . 8
```

12
```
    0 . 6
×   0 . 7
```

13
```
    0 . 5
×   0 . 9
```

14
```
    0 . 7
×   0 . 3
```

15
```
  0 . 0 7
×   0 . 9
```

16
```
  0 . 1 4
×   0 . 4
```

17
```
    0 . 9
× 0 . 2 5
```

18
```
    0 . 8
× 0 . 3 2
```

19
```
  0 . 4 8
×   0 . 6
```

20
```
  0 . 2 7
×   0 . 5
```

적용 ❺ (1보다 작은 소수)×(1보다 작은 소수)

:: 두 소수의 곱을 구하여 빈 곳에 써넣으세요.

1
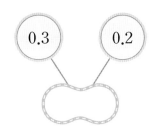

5
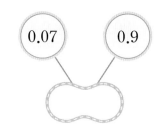

2
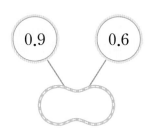

6
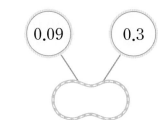

3
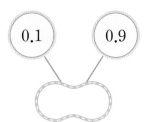

7
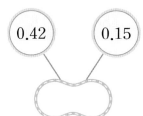

4
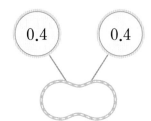

8
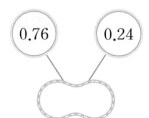

9

0.5
0.5

14

0.5
0.28

3. 소수의 곱셈

10

0.2
0.4

15

0.19
0.4

11

0.3
0.1

16

0.35
0.22

12

0.8
0.8

17

0.27
0.13

13

0.6
0.3

18

0.93
0.16

원리

❻ (1보다 큰 소수)×(1보다 큰 소수)

○ (1보다 큰 소수)×(1보다 큰 소수) 계산 방법

방법 1 소수를 분모가 10, 100인 분수로 고쳐서 계산한 다음 다시 소수로 나타냅니다.

$$1.4 \times 2.3 = \frac{14}{10} \times \frac{23}{10} = \frac{14 \times 23}{100} = \frac{322}{100} = 3.22$$

방법 2 자연수의 곱셈과 같이 계산하고, 곱의 소수점 아래 자릿수가 곱하는 두 수의 소수점 아래 자릿수의 합과 같도록 소수점을 찍습니다.

		1	4
	×	2	3
		4	2

➡

		1	4
	×	2	3
		4	2
	2	8	

➡

		1 .	4	→ 소수 ㉠자리 수
	×	2 .	3	→ 소수 ㉠자리 수
		4	2	
	2	8		
	3 .	2	2	→ 소수 ㉡자리 수

> 뿡뿡이
> 분모가 1000인 분수는 소수 세 자리 수로 나타내면 돼!

▓ □ 안에 알맞은 수를 써넣으세요.

1 $1.3 \times 2.4 = \dfrac{\square}{10} \times \dfrac{\square}{10} = \dfrac{\square \times \square}{100}$

$= \dfrac{\square}{100} = \square$

2 $7.5 \times 3.4 = \dfrac{\square}{10} \times \dfrac{\square}{10} = \dfrac{\square \times \square}{100}$

$= \dfrac{\square}{100} = \square$

3 $6.9 \times 4.2 = \dfrac{\square}{10} \times \dfrac{\square}{10} = \dfrac{\square \times \square}{100}$

$= \dfrac{\square}{100} = \square$

4 $5.6 \times 5.9 = \dfrac{\square}{10} \times \dfrac{\square}{10} = \dfrac{\square \times \square}{100}$

$= \dfrac{\square}{100} = \square$

5 $2.48 \times 1.6 = \dfrac{\square}{100} \times \dfrac{\square}{10} = \dfrac{\square \times \square}{1000}$

$= \dfrac{\square}{1000} = \square$

6 $2.12 \times 3.4 = \dfrac{\square}{100} \times \dfrac{\square}{10} = \dfrac{\square \times \square}{1000}$

$= \dfrac{\square}{1000} = \square$

7 $4.6 \times 3.17 = \dfrac{\square}{10} \times \dfrac{\square}{100} = \dfrac{\square \times \square}{1000}$

$= \dfrac{\square}{1000} = \square$

8 $5.8 \times 9.36 = \dfrac{\square}{10} \times \dfrac{\square}{100} = \dfrac{\square \times \square}{1000}$

$= \dfrac{\square}{1000} = \square$

∷ 계산을 하세요.

9

```
      3 . 9
×   2 . 7
```

10

```
      1 . 8
×   9 . 6
```

11

```
      2 . 5
× 1 . 2   6
```

12

```
  2 . 0   4
×       3 . 1
```

13

```
      4 . 3
× 1 . 6   7
```

14

```
      1 . 4
× 3 . 2   3
```

15

```
      5 . 2
×   1 . 6
```

16

```
      3 . 5
×   2 . 2
```

17

```
  2 . 2   4
×       1 . 7
```

18

```
  1 . 3   5
×       2 . 3
```

19

```
      3 . 2
× 2 . 3   6
```

20

```
  2 . 1   3
×       3 . 9
```

:: ☐ 안에 알맞은 수를 써넣으세요.

1
2.1   ×1.2   ☐

2
1.8   ×1.9   ☐

3
1.5   ×2.2   ☐

4
3.7   ×3.1   ☐

5
5.6   ×4.3   ☐

6
5.8   ×6.2   ☐

7
1.4   ×2.5   ☐

8
1.15   ×3.2   ☐

9
2.84   ×1.01   ☐

10
4.73   ×2.05   ☐

⠿ 빈 곳에 알맞은 수를 써넣으세요.

11

×	→	
1.4	1.2	
1.3		

15

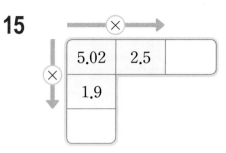

×	→	
5.02	2.5	
1.9		

12

×	→	
4.1	2.6	
3.1		

16

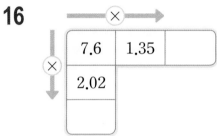

×	→	
7.6	1.35	
2.02		

13

×	→	
6.6	3.5	
1.8		

17

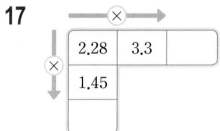

×	→	
2.28	3.3	
1.45		

14

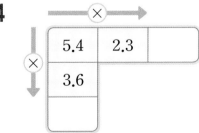

×	→	
5.4	2.3	
3.6		

18

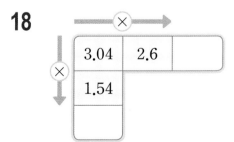

×	→	
3.04	2.6	
1.54		

원리

❼ 곱의 소수점의 위치

○ 곱의 소수점의 위치가 달라지는 규칙

$$1.48 \times \underline{1} = 1.48$$
$$1.48 \times \underline{10} = 14.8$$
$$1.48 \times \underline{100} = 148$$
$$1.48 \times \underline{1000} = 1480$$

소수에 1, 10, 100, 1000을 곱하면 곱하는 수의 0의 수만큼 곱의 소수점이 오른쪽으로 옮겨집니다.

$$1480 \times \underline{1} = 1480$$
$$1480 \times \underline{0.1} = 148$$
$$1480 \times \underline{0.01} = 14.8$$
$$1480 \times \underline{0.001} = 1.48$$

자연수에 1, 0.1, 0.01, 0.001을 곱하면 곱하는 수의 소수점 아래 자릿수만큼 곱의 소수점이 왼쪽으로 옮겨집니다.

뿡뿡이

어떤 수에 1, 10, 100……을 곱하면 곱은 1배, 10배, 100배……가 되고, 1, 0.1, 0.01……을 곱하면 곱은 1배, 0.1배, 0.01배……가 돼!

▩▩ □ 안에 알맞은 수를 써넣으세요.

1
$$0.65 \times 1 = \boxed{}$$
$$0.65 \times 10 = \boxed{}$$
$$0.65 \times 100 = \boxed{}$$
$$0.65 \times 1000 = \boxed{}$$

4
$$5.84 \times 1 = \boxed{}$$
$$5.84 \times 10 = \boxed{}$$
$$5.84 \times 100 = \boxed{}$$
$$5.84 \times 1000 = \boxed{}$$

2
$$2.56 \times 1 = \boxed{}$$
$$2.56 \times 10 = \boxed{}$$
$$2.56 \times 100 = \boxed{}$$
$$2.56 \times 1000 = \boxed{}$$

5
$$6.92 \times 1 = \boxed{}$$
$$6.92 \times 10 = \boxed{}$$
$$6.92 \times 100 = \boxed{}$$
$$6.92 \times 1000 = \boxed{}$$

3
$$7.36 \times 1 = \boxed{}$$
$$7.36 \times 10 = \boxed{}$$
$$7.36 \times 100 = \boxed{}$$
$$7.36 \times 1000 = \boxed{}$$

6
$$27.35 \times 1 = \boxed{}$$
$$27.35 \times 10 = \boxed{}$$
$$27.35 \times 100 = \boxed{}$$
$$27.35 \times 1000 = \boxed{}$$

7 $3670 \times 1 =$ ☐

$3670 \times 0.1 =$ ☐

$3670 \times 0.01 =$ ☐

$3670 \times 0.001 =$ ☐

8 $190 \times 1 =$ ☐

$190 \times 0.1 =$ ☐

$190 \times 0.01 =$ ☐

$190 \times 0.001 =$ ☐

9 $274 \times 1 =$ ☐

$274 \times 0.1 =$ ☐

$274 \times 0.01 =$ ☐

$274 \times 0.001 =$ ☐

10 $2802 \times 1 =$ ☐

$2802 \times 0.1 =$ ☐

$2802 \times 0.01 =$ ☐

$2802 \times 0.001 =$ ☐

11 $732 \times 1 =$ ☐

$732 \times 0.1 =$ ☐

$732 \times 0.01 =$ ☐

$732 \times 0.001 =$ ☐

12 $604 \times 1 =$ ☐

$604 \times 0.1 =$ ☐

$604 \times 0.01 =$ ☐

$604 \times 0.001 =$ ☐

13 $4792 \times 1 =$ ☐

$4792 \times 0.1 =$ ☐

$4792 \times 0.01 =$ ☐

$4792 \times 0.001 =$ ☐

14 $1504 \times 1 =$ ☐

$1504 \times 0.1 =$ ☐

$1504 \times 0.01 =$ ☐

$1504 \times 0.001 =$ ☐

15 $3726 \times 1 =$ ☐

$3726 \times 0.1 =$ ☐

$3726 \times 0.01 =$ ☐

$3726 \times 0.001 =$ ☐

16 $463 \times 1 =$ ☐

$463 \times 0.1 =$ ☐

$463 \times 0.01 =$ ☐

$463 \times 0.001 =$ ☐

∷ 계산을 하세요.

1 3.28×10

2 6.09×100

3 16.41×100

4 8.23×1000

5 9.34×1000

6 15.45×10

7 21.36×100

8 22.67×10

9 0.125×100

10 1.984×100

11 8.451×1000

12 27.62×10

13 96.12×100

14 4.703×100

15 140×0.1

16 388×0.1

17 547×0.01

18 213×0.01

19 7740×0.001

20 2331×0.001

21 5412×0.01

22 996×0.01

23 1580×0.01

24 502×0.1

25 480×0.1

26 2500×0.01

실력 up

27 규연이가 키우는 식물의 키는 어제 86 cm 까지 자랐습니다. 오늘 86 cm의 0.01배 만큼 더 자랐다면 오늘 식물의 키는 몇 cm 더 자랐을까요?

$$86 \times 0.01 = \boxed{}$$

답 _____

∷ 빈 곳에 알맞은 수를 써넣으세요.

1

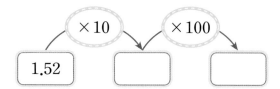

1.52 → ×10 → ☐ → ×100 → ☐

2

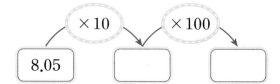

8.05 → ×10 → ☐ → ×100 → ☐

3

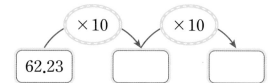

62.23 → ×10 → ☐ → ×10 → ☐

4

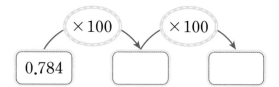

0.784 → ×100 → ☐ → ×100 → ☐

5

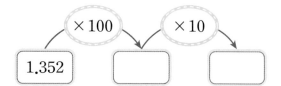

1.352 → ×100 → ☐ → ×10 → ☐

6

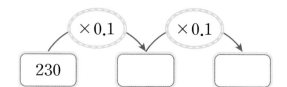

230 → ×0.1 → ☐ → ×0.1 → ☐

7

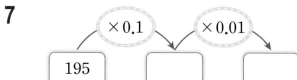

195 → ×0.1 → ☐ → ×0.01 → ☐

8

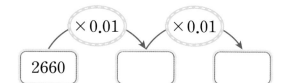

2660 → ×0.01 → ☐ → ×0.01 → ☐

9

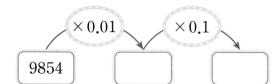

9854 → ×0.01 → ☐ → ×0.1 → ☐

10

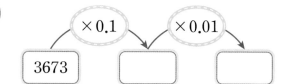

3673 → ×0.1 → ☐ → ×0.01 → ☐

⠿ 계산 결과가 같은 것을 찾아 색칠하세요.

11

87×0.1	8.7×10	870×0.01

16

420×0.01	0.42×100	4.2×10

12

56×1	560×0.1	5.6×100

17

0.36×0.1	360×0.01	36×0.001

13

1300×0.01	13×0.1	0.13×10

18

1680×0.01	168×0.1	16.8×100

14

950×0.01	95×0.1	9.5×10

19

541.6×10	5.416×100	5416×0.1

15

37×0.1	3.7×10	370×0.01

20

327×0.01	32.7×0.1	3.27×10

■■ 계산을 하세요.

1　　0.7 × 8

2　　0.5 × 6

3　　0.24 × 3

4　　1.7 × 3

5　　2.2 × 4

6　　3.19 × 3

7　　3 × 0.4

8　　11 × 0.2

9　　5 × 0.73

10　2 × 4.2

11　30 × 1.3

12　4 × 1.89

13 0.2×0.5

14 0.9×0.31

15 0.51×0.6

16 0.42×0.45

17 1.3×1.8

18 1.2×1.56

19 2.25×1.3

20 3.02×1.45

21 6.9×100

22 18.55×1000

23 2410×0.1

24 680×0.001

⠿ ☐ 안에 알맞은 수를 써넣으세요.

25

0.9

×11

26

2.8

×5

⠿ 두 수의 곱을 구하여 빈 곳에 써넣으세요.

27

16
0.4

28

7
1.42

⠿ ☐ 안에 알맞은 수를 써넣으세요.

29

0.7 ➡ ×0.7 ➡ ☐

30

1.16 ➡ ×1.4 ➡ ☐

⠿ 빈 곳에 알맞은 수를 써넣으세요.

31

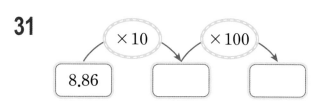

8.86 ×10 ☐ ×100 ☐

32

5440 ×0.1 ☐ ×0.01 ☐

4 평균

🎪 학습 계획표

📖 학습 관리 **tip** 맨 앞장의 학습 플래너를 이용하여 학습 스케줄을 관리하도록 하세요!

원리

❶ 평균 구하기

원리 동영상 강의

◎ 주어진 수들의 평균 구하는 방법

예 | 3   4   6   7 |

방법 **1**   평균을 5로 예상하고 고르게 해 보면 ⟶ 평균을 예상하여 각 자료의 값을 고르게 하기

로 나타낼 수 있으므로 평균은 5입니다.

방법 **2** $(평균) = \dfrac{3+4+6+7}{4} = \dfrac{20}{4} = 5$ ⟶ 자료의 값을 모두 더해 자료의 수로 나누기

> 뿡뿡이
>
> 자료 값을 모두 더해 자료의 수로 나눈 수를 평균이라고 해!
>
> $(평균) = \dfrac{(자료 값의 합)}{(자료의 수)}$

❖ 주어진 수들의 평균을 구하려고 합니다. □ 안에 알맞은 수를 써넣으세요.

1

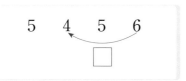

평균을 5로 예상하고 고르게 해 보면
5, □, 5, □ 로 나타낼 수 있으므로
평균은 □ 입니다.

2

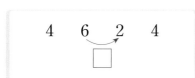

평균을 4로 예상하고 고르게 해 보면
4, □, □, 4로 나타낼 수 있으므로
평균은 □ 입니다.

3

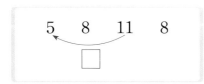

평균을 8로 예상하고 고르게 해 보면
□, 8, □, 8로 나타낼 수 있으므로
평균은 □ 입니다.

4

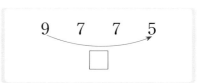

평균을 7로 예상하고 고르게 해 보면
□, 7, 7, □ 로 나타낼 수 있으므로
평균은 □ 입니다.

5

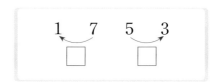

평균을 4로 예상하고 고르게 해 보면
□, □, □, □ 로 나타낼 수 있으므로
평균은 □ 입니다.

6

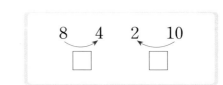

평균을 6으로 예상하고 고르게 해 보면
□, □, □, □ 으로 나타낼 수 있으므로
평균은 □ 입니다.

7

| 2 | 4 | 6 | 8 |

$$(평균) = \dfrac{2+4+\boxed{}+\boxed{}}{4}$$

$$= \dfrac{\boxed{}}{4} = \boxed{}$$

8

| 5 | 7 | 8 | 12 |

$$(평균) = \dfrac{5+7+\boxed{}+\boxed{}}{4}$$

$$= \dfrac{\boxed{}}{4} = \boxed{}$$

9

| 6 | 9 | 2 | 7 |

$$(평균) = \dfrac{6+9+\boxed{}+\boxed{}}{\boxed{}}$$

$$= \dfrac{\boxed{}}{\boxed{}} = \boxed{}$$

10

| 10 | 20 | 30 | 40 |

$$(평균) = \dfrac{10+20+\boxed{}+\boxed{}}{\boxed{}}$$

$$= \dfrac{\boxed{}}{\boxed{}} = \boxed{}$$

11

| 15 | 45 | 25 | 35 |

$$(평균) = \dfrac{15+45+\boxed{}+\boxed{}}{\boxed{}}$$

$$= \dfrac{\boxed{}}{\boxed{}} = \boxed{}$$

12

| 8 | 3 | 7 | 6 | 1 |

$$(평균) = \dfrac{8+3+\boxed{}+\boxed{}+\boxed{}}{\boxed{}}$$

$$= \dfrac{\boxed{}}{\boxed{}} = \boxed{}$$

13

| 12 | 14 | 21 | 17 | 16 |

$$(평균) = \dfrac{12+14+\boxed{}+\boxed{}+\boxed{}}{\boxed{}}$$

$$= \dfrac{\boxed{}}{\boxed{}} = \boxed{}$$

14

| 50 | 35 | 40 | 70 | 65 |

$$(평균) = \dfrac{50+35+\boxed{}+\boxed{}+\boxed{}}{\boxed{}}$$

$$= \dfrac{\boxed{}}{\boxed{}} = \boxed{}$$

:: 주어진 수들의 평균을 구하세요.

1

| 1 | 4 | 6 | 9 |

(   )

2

| 7 | 9 | 5 | 7 |

(   )

3

| 8 | 3 | 7 | 6 |

(   )

4

| 6 | 9 | 8 | 9 |

(   )

5

| 20 | 30 | 40 | 70 |

(   )

6

| 10 | 5 | 9 | 8 |

(   )

7

| 50 | 80 | 90 | 60 |

(   )

8

| 12 | 15 | 22 | 23 |

(   )

9

| 26 | 27 | 24 | 23 |

(   )

10

| 32 | 34 | 30 | 36 |

(   )

11

| 100 | 180 | 260 | 400 |

(   )

12

| 31 | 32 | 29 | 28 |

(   )

13

5　4　3　2　1

(　　　　　　)

14

6　9　8　7　10

(　　　　　　)

15

4　8　15　11　12

(　　　　　　)

16

10　12　15　9　14

(　　　　　　)

17

20　16　22　30　47

(　　　　　　)

18

14　16　19　13　18

(　　　　　　)

19

45　32　20　35　28

(　　　　　　)

20

56　50　55　48　46

(　　　　　　)

21

120　150　100　70　110

(　　　　　　)

22

83　70　58　73　66

(　　　　　　)

실력 up

23 혜리네 모둠 학생들의 제기차기 기록입니다. 혜리네 모둠의 제기차기 기록의 평균은 몇 개일까요?

6개　3개　6개　8개　2개

답

주어진 자료의 평균을 구하세요.

1 희주네 모둠의 턱걸이 기록

이름	희주	예준	서연	우진
기록 (개)	3	5	4	8

(   )

2 준서네 모둠이 넣은 화살 수

이름	준서	상혁	은채	규아
화살 수 (개)	6	5	7	6

(   )

3 영진이네 모둠이 쓰러뜨린 볼링 핀 수

이름	영진	현주	우빈	선재
볼링 핀 수(개)	4	2	5	5

(   )

4 아윤이네 모둠의 도서 대출 권수

이름	아윤	채민	성진	명우
권수 (권)	1	4	7	8

(   )

5 예나네 모둠이 운동한 시간

이름	예나	민재	현우	지현
시간 (분)	40	30	20	30

(   )

6 나래네 모둠의 공 던지기 기록

이름	나래	성규	재은	철민
기록 (m)	25	33	18	20

(   )

7 선아네 모둠의 훌라후프 기록

이름	선아	훈찬	준우	민주
기록 (개)	40	38	42	44

(   )

8 소은이네 학교 5학년 반별 학생 수

반	1반	2반	3반	4반
학생 수 (명)	22	24	25	21

(   )

9 과녁 맞히기 선수의 기록

회	1회	2회	3회	4회	5회
기록 (점)	2	3	5	1	4

( )

10 요일별 최고 기온

요일	월	화	수	목	금
기온 (℃)	8	7	6	7	7

( )

11 수영이네 모둠이 건 고리 수

이름	수영	유주	진아	범서	규찬
고리 수 (개)	6	4	8	5	7

( )

12 지아의 과목별 수행평가 점수

과목	국어	수학	사회	과학	영어
점수 (점)	10	8	9	10	8

( )

13 영은이가 독서한 시간

요일	월	화	수	목	금
시간 (분)	20	40	30	40	45

( )

14 지우가 컴퓨터를 사용한 시간

요일	월	화	수	목	금
시간 (분)	60	50	45	65	80

( )

15 윤미네 모둠의 몸무게

이름	윤미	상은	현지	보영	주혁
몸무게 (kg)	36	42	48	34	40

( )

16 우성이네 학교 5학년 반별 안경 쓴 학생 수

반	1반	2반	3반	4반	5반
학생 수 (명)	18	15	21	16	15

( )

:: 주어진 수들의 평균을 구하세요.

1

| 2 | 3 | 2 | 5 |

( )

2

| 6 | 4 | 7 | 7 |

( )

3

| 8 | 9 | 11 | 8 |

( )

4

| 5 | 6 | 8 | 9 |

( )

5

| 7 | 13 | 12 | 8 |

( )

6

| 20 | 25 | 20 | 15 |

( )

7

| 35 | 50 | 55 | 40 |

( )

8

| 36 | 41 | 30 | 25 |

( )

9

| 48 | 55 | 39 | 58 |

( )

10

| 200 | 130 | 110 | 120 |

( )

11

4	6	8	9	13

(   )

12

16	10	12	14	3

(   )

13

21	22	25	20	27

(   )

14

35	32	30	24	29

(   )

15

18	26	28	20	33

(   )

16

50	45	42	47	46

(   )

17

30	35	40	38	47

(   )

18

75	80	70	84	61

(   )

19

150	140	160	130	170

(   )

20

220	200	180	240	210

(   )

∷ **주어진 자료의 평균을 구하세요.**

21 수아네 모둠의 가족 수

이름	수아	정인	규연	희민
가족 수 (명)	6	4	3	3

( )

22 정연이네 모둠이 모은 폐휴지의 무게

이름	정연	석희	재현	미리
무게 (kg)	2	5	4	1

( )

23 사라네 모둠의 줄넘기 기록

이름	사라	효민	우재	교연
기록 (개)	36	52	48	40

( )

24 경민이네 가족의 나이

가족	아버지	어머니	경민	경서
나이 (살)	45	42	12	9

( )

25 나진이네 모둠의 일주일 동안 독서량

이름	나진	희선	지오	보빈	호진
독서량 (권)	4	5	2	1	3

( )

26 태영이네 모둠의 하루 수면 시간

이름	태영	은혜	슬기	하늘	건우
시간 (시간)	10	9	7	8	6

( )

27 승원이가 숙제한 시간

요일	월	화	수	목	금
시간 (분)	30	45	40	35	50

( )

28 재용이네 모둠이 가지고 있는 동전의 금액

이름	재용	지혜	수진	인서	승호
금액 (원)	500	600	850	750	550

( )

Memo

Memo

바른 계산, 빠른 연산!

초능력 수학 연산 5·2

정답 및 풀이

동아출판

차례

정답 및 풀이

1 수 어림하기

8~9쪽 원리 ❶

1	130	13	0.2
2	640	14	0.4
3	440	15	3.6
4	2370	16	2.4
5	1710	17	1.4
6	4000	18	1.4
7	800	19	4.3
8	600	20	0.85
9	4100	21	0.15
10	4000	22	7.29
11	9000	23	4.63
12	6000	24	0.26
		25	1.31
		26	2.52

12~13쪽 원리 ❷

1	540	13	0.1
2	720	14	0.9
3	240	15	5.8
4	8190	16	2.1
5	6340	17	0.3
6	4120	18	0.5
7	900	19	3.2
8	600	20	0.26
9	4000	21	0.83
10	3000	22	1.22
11	7000	23	7.52
12	2000	24	0.52
		25	1.36
		26	0.50

10~11쪽 연습 ❶

1	260	13	1.4
2	610	14	0.4
3	2580	15	2.8
4	420	16	7.1
5	1340	17	3.7
6	680	18	5.9
7	900	19	2.1
8	9400	20	2.07
9	5100	21	1.72
10	4000	22	9.07
11	7000	23	1.44
12	2000	24	5.64
		25	4000 / 4000원

14~15쪽 연습 ❷

1	760	13	0.8
2	340	14	3.7
3	6260	15	2.1
4	600	16	1.9
5	2150	17	3.2
6	770	18	8.7
7	400	19	1.1
8	9500	20	6.43
9	4700	21	9.01
10	9000	22	4.56
11	4000	23	5.41
12	2000	24	8.82
		25	8000 / 8000원

1 올림: 25<u>8</u> ➡ 260

7 올림: 8<u>03</u> ➡ 900

10 올림: <u>3</u>281 ➡ 4000

13 올림: 1.3<u>6</u> ➡ 1.4

20 올림: 2.06<u>7</u> ➡ 2.07

1 버림: 76<u>5</u> ➡ 760

7 버림: 4<u>11</u> ➡ 400

10 버림: 9<u>226</u> ➡ 9000

13 버림: 0.8<u>9</u> ➡ 0.8

20 버림: 6.43<u>3</u> ➡ 6.43

16~17쪽 원리 ❸

1	920	13	2.8
2	490	14	1.6
3	190	15	6.5
4	5360	16	2.0
5	2280	17	4.2
6	3630	18	4.3
7	300	19	2.1
8	500	20	7.21
9	6100	21	3.65
10	7000	22	2.17
11	9000	23	3.13
12	6000	24	3.72
		25	5.26
		26	6.11

18~19쪽 연습 ❸

1	660	13	2.7
2	950	14	4.5
3	5440	15	4.0
4	530	16	0.9
5	3830	17	7.3
6	700	18	9.4
7	300	19	4.1
8	7100	20	6.87
9	9500	21	3.18
10	3000	22	1.67
11	4000	23	1.04
12	1000	24	0.88
		25	9900 / 9900명

1 반올림: 66<u>2</u> ➡ 660
7 반올림: 3<u>2</u>8 ➡ 300
10 반올림: 2<u>5</u>40 ➡ 3000
13 반올림: 2.6<u>6</u> ➡ 2.7
20 반올림: 6.86<u>8</u> ➡ 6.87

20~21쪽 적용

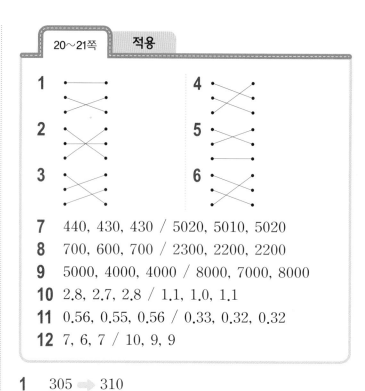

7 440, 430, 430 / 5020, 5010, 5020
8 700, 600, 700 / 2300, 2200, 2200
9 5000, 4000, 4000 / 8000, 7000, 8000
10 2.8, 2.7, 2.8 / 1.1, 1.0, 1.1
11 0.56, 0.55, 0.56 / 0.33, 0.32, 0.32
12 7, 6, 7 / 10, 9, 9

1   30<u>5</u> ➡ 310
    3<u>5</u>0 ➡ 300
    32<u>7</u> ➡ 330

2   21<u>4</u>8 ➡ 2200
    21<u>6</u>3 ➡ 2100
    2<u>1</u>71 ➡ 2000

3   430<u>5</u> ➡ 4310
    438<u>1</u> ➡ 4380
    435<u>2</u> ➡ 4400

4   0.1<u>2</u> ➡ 0.2
    0.6<u>4</u> ➡ 0.6
    0.8<u>9</u> ➡ 0.9

5   5.65<u>4</u> ➡ 5.66
    5.09<u>7</u> ➡ 5.09
    5.81<u>6</u> ➡ 5.82

6   9.<u>4</u>08 ➡ 10
    9.<u>8</u>99 ➡ 9
    10.<u>7</u>63 ➡ 11

7   올림: 43<u>1</u> ➡ 440, 501<u>5</u> ➡ 5020
    버림: 43<u>1</u> ➡ 430, 501<u>5</u> ➡ 5010
    반올림: 43<u>1</u> ➡ 430, 501<u>5</u> ➡ 5020

8   올림: <u>6</u>73 ➡ 700, 22<u>3</u>4 ➡ 2300
    버림: <u>6</u>73 ➡ 600, 22<u>3</u>4 ➡ 2200
    반올림: <u>6</u>73 ➡ 700, 22<u>3</u>4 ➡ 2200

9 올림: <u>4</u>117 ➡ 5000, <u>7</u>689 ➡ 8000

버림: <u>4</u>117 ➡ 4000, <u>7</u>689 ➡ 7000

반올림: <u>4</u>117 ➡ 4000, <u>7</u>689 ➡ 8000

10 올림: 2.7<u>5</u>3 ➡ 2.8, 1.0<u>6</u>9 ➡ 1.1

버림: 2.7<u>5</u>3 ➡ 2.7, 1.0<u>6</u>9 ➡ 1.0

반올림: 2.7<u>5</u>3 ➡ 2.8, 1.0<u>6</u>9 ➡ 1.1

11 올림: 0.5<u>5</u>5 ➡ 0.56, 0.32<u>2</u> ➡ 0.33

버림: 0.5<u>5</u>5 ➡ 0.55, 0.32<u>2</u> ➡ 0.32

반올림: 0.5<u>5</u>5 ➡ 0.56, 0.32<u>2</u> ➡ 0.32

12 올림: 6.<u>6</u>24 ➡ 7, 9.<u>3</u>86 ➡ 10

버림: 6.<u>6</u>24 ➡ 6, 9.<u>3</u>86 ➡ 9

반올림: 6.<u>6</u>24 ➡ 7, 9.<u>3</u>86 ➡ 9

22~24쪽 **평가**

1	680	**22**	7400
2	1200	**23**	6000
3	0.8	**24**	6.85
4	3700	**25**	6300
5	6000	**26**	5000
6	2.2	**27**	1.0
7	6	**28**	9.96
8	360	**29**	
9	3900		
10	9.32	**30**	
11	8000		
12	3.4	**31**	
13	280		
14	900		
15	810	**32**	970, 960, 960 /
16	2000		1560, 1550, 1560
17	2.5	**33**	400, 300, 400 /
18	5300		7700, 7600, 7600
19	3.33	**34**	2, 1, 1 / 9, 8, 9
20	4		
21	340		

---

5 (올림하여 천의 자리까지) 5<u>4</u>17 ➡ 6000

6 (올림하여 소수 첫째 자리까지) 2.1<u>8</u>4 ➡ 2.2

7 (올림하여 일의 자리까지) 5.<u>6</u>29 ➡ 6

12 (버림하여 소수 첫째 자리까지) 3.4<u>7</u>1 ➡ 3.4

13 (버림하여 십의 자리까지) 28<u>7</u> ➡ 280

14 (버림하여 백의 자리까지) 9<u>3</u>5 ➡ 900

20 (반올림하여 일의 자리까지) 4.<u>0</u>7 ➡ 4

21 (반올림하여 십의 자리까지) 33<u>9</u> ➡ 340

22 (반올림하여 백의 자리까지) 7<u>3</u>93 ➡ 7400

23 (반올림하여 천의 자리까지) 5<u>7</u>02 ➡ 6000

24 (반올림하여 소수 둘째 자리까지) 6.84<u>5</u> ➡ 6.85

25 (반올림하여 백의 자리까지) 63<u>1</u>3 ➡ 6300

26 (반올림하여 천의 자리까지) 4<u>9</u>09 ➡ 5000

27 (반올림하여 소수 첫째 자리까지) 1.0<u>3</u>6 ➡ 1.0

28 (반올림하여 소수 둘째 자리까지) 9.95<u>8</u> ➡ 9.96

29 (올림하여 십의 자리까지) 12<u>5</u> ➡ 130

(버림하여 백의 자리까지) 1<u>2</u>9 ➡ 100

(반올림하여 십의 자리까지) 11<u>2</u> ➡ 110

30 (올림하여 백의 자리까지) 16<u>9</u>2 ➡ 1700

(버림하여 백의 자리까지) 16<u>8</u>2 ➡ 1600

(반올림하여 천의 자리까지) 1<u>6</u>50 ➡ 2000

31 (올림하여 소수 첫째 자리까지) 4.2<u>1</u>6 ➡ 4.3

(버림하여 소수 첫째 자리까지) 4.2<u>7</u>7 ➡ 4.2

(반올림하여 소수 첫째 자리까지) 4.3<u>5</u>1 ➡ 4.4

32 올림: 96<u>2</u> ➡ 970, 155<u>8</u> ➡ 1560

버림: 96<u>2</u> ➡ 960, 155<u>8</u> ➡ 1550

반올림: 96<u>2</u> ➡ 960, 155<u>8</u> ➡ 1560

33 올림: 3<u>7</u>8 ➡ 400, 76<u>0</u>4 ➡ 7700

버림: 3<u>7</u>8 ➡ 300, 76<u>0</u>4 ➡ 7600

반올림: 3<u>7</u>8 ➡ 400, 76<u>0</u>4 ➡ 7600

34 올림: 1.<u>0</u>05 ➡ 2, 8.<u>8</u>94 ➡ 9

버림: 1.<u>0</u>05 ➡ 1, 8.<u>8</u>94 ➡ 8

반올림: 1.<u>0</u>05 ➡ 1, 8.<u>8</u>94 ➡ 9

2 분수의 곱셈

26~27쪽 원리 ❶

1 $\dfrac{1\times5}{7}=\dfrac{5}{7}$

2 $\dfrac{2\times4}{9}=\dfrac{8}{9}$

3 $\dfrac{3\times3}{4}=\dfrac{9}{4}=2\dfrac{1}{4}$

4 $\dfrac{3\times4}{5}=\dfrac{12}{5}=2\dfrac{2}{5}$

5 $\dfrac{1\times6}{2}=\dfrac{\overset{3}{\cancel{6}}}{\underset{1}{\cancel{2}}}=\dfrac{3}{1}=3$

6 $\dfrac{5\times2}{6}=\dfrac{\overset{5}{\cancel{10}}}{\underset{3}{\cancel{6}}}=\dfrac{5}{3}=1\dfrac{2}{3}$

7 $\dfrac{2\times18}{3}=\dfrac{\overset{12}{\cancel{36}}}{\underset{1}{\cancel{3}}}=\dfrac{12}{1}=12$

8 $\dfrac{1\times12}{8}=\dfrac{\overset{3}{\cancel{12}}}{\underset{2}{\cancel{8}}}=\dfrac{3}{2}=1\dfrac{1}{2}$

9 $\dfrac{4\times\overset{1}{\cancel{5}}}{\underset{3}{\cancel{15}}}=\dfrac{4}{3}=1\dfrac{1}{3}$

10 $\dfrac{5\times\overset{2}{\cancel{14}}}{\underset{3}{\cancel{21}}}=\dfrac{10}{3}=3\dfrac{1}{3}$

11 $\dfrac{3\times\overset{3}{\cancel{6}}}{\underset{2}{\cancel{4}}}=\dfrac{9}{2}=4\dfrac{1}{2}$

12 $\dfrac{5\times\overset{3}{\cancel{6}}}{\underset{4}{\cancel{8}}}=\dfrac{15}{4}=3\dfrac{3}{4}$

13 $\dfrac{4\times\overset{5}{\cancel{15}}}{\underset{3}{\cancel{9}}}=\dfrac{20}{3}=6\dfrac{2}{3}$

14 $\dfrac{5\times\overset{2}{\cancel{12}}}{\underset{3}{\cancel{18}}}=\dfrac{10}{3}=3\dfrac{1}{3}$

15 $\dfrac{1}{\underset{3}{\cancel{6}}}\times\overset{4}{\cancel{8}}=\dfrac{1\times4}{3}=\dfrac{4}{3}=1\dfrac{1}{3}$

16 $\dfrac{7}{\underset{8}{\cancel{16}}}\times\overset{5}{\cancel{10}}=\dfrac{7\times5}{8}=\dfrac{35}{8}=4\dfrac{3}{8}$

17 $\dfrac{8}{\underset{3}{\cancel{9}}}\times\overset{2}{\cancel{6}}=\dfrac{8\times2}{3}=\dfrac{16}{3}=5\dfrac{1}{3}$

18 $\dfrac{3}{\underset{7}{\cancel{14}}}\times\overset{10}{\cancel{20}}=\dfrac{3\times10}{7}=\dfrac{30}{7}=4\dfrac{2}{7}$

19 $\dfrac{6}{\underset{5}{\cancel{25}}}\times\overset{3}{\cancel{15}}=\dfrac{6\times3}{5}=\dfrac{18}{5}=3\dfrac{3}{5}$

20 $\dfrac{15}{\underset{8}{\cancel{32}}}\times\overset{3}{\cancel{12}}=\dfrac{15\times3}{8}=\dfrac{45}{8}=5\dfrac{5}{8}$

28~29쪽 연습 ❶

1 $5\dfrac{5}{6}$ **15** 12

2 $1\dfrac{1}{4}$ **16** $4\dfrac{4}{5}$

3 $2\dfrac{2}{7}$ **17** $1\dfrac{2}{3}$

4 $3\dfrac{5}{9}$ **18** $6\dfrac{2}{9}$

5 $4\dfrac{3}{8}$ **19** $1\dfrac{1}{3}$

6 $2\dfrac{7}{13}$ **20** $6\dfrac{3}{5}$

7 $4\dfrac{2}{7}$ **21** $1\dfrac{7}{8}$

8 4 **22** $4\dfrac{9}{10}$

9 $13\dfrac{1}{2}$ **23** $2\dfrac{6}{7}$

10 12 **24** $6\dfrac{1}{4}$

11 $5\dfrac{3}{5}$ **25** $2\dfrac{2}{3}$

12 $17\dfrac{1}{3}$ **26** $9\dfrac{3}{5}$

13 $13\dfrac{3}{4}$ **27** $3\dfrac{1}{5}$ / $3\dfrac{1}{5}\,\mathrm{m}$

14 $5\dfrac{3}{5}$

30~31쪽 적용❶

1 (선 잇기)
2 (선 잇기)
3 (선 잇기)
4 (선 잇기)
5 (선 잇기)
6 (선 잇기)

7 $1\dfrac{7}{8},\ \dfrac{4}{5}$

8 $3\dfrac{1}{3},\ 6$

9 $3\dfrac{13}{14},\ 3\dfrac{6}{7}$

10 $6\dfrac{1}{4},\ 6\dfrac{3}{4}$

11 $1\dfrac{2}{3},\ 2\dfrac{2}{5}$

12 $11\dfrac{1}{4},\ 4\dfrac{1}{5}$

5 $\dfrac{5}{\underset{2}{6}}\times\overset{3}{9}=\dfrac{5\times3}{2}=\dfrac{15}{2}=7\dfrac{1}{2}$

$\dfrac{7}{\underset{4}{12}}\times\overset{3}{9}=\dfrac{7\times3}{4}=\dfrac{21}{4}=5\dfrac{1}{4}$

$\dfrac{4}{\underset{3}{27}}\times\overset{1}{9}=\dfrac{4\times1}{3}=\dfrac{4}{3}=1\dfrac{1}{3}$

6 $\dfrac{4}{\underset{5}{15}}\times\overset{4}{12}=\dfrac{4\times4}{5}=\dfrac{16}{5}=3\dfrac{1}{5}$

$\dfrac{9}{\underset{5}{20}}\times\overset{3}{12}=\dfrac{9\times3}{5}=\dfrac{27}{5}=5\dfrac{2}{5}$

$\dfrac{3}{\underset{11}{22}}\times\overset{6}{12}=\dfrac{3\times6}{11}=\dfrac{18}{11}=1\dfrac{7}{11}$

8 $\dfrac{5}{\underset{3}{9}}\times\overset{2}{6}=\dfrac{5\times2}{3}=\dfrac{10}{3}=3\dfrac{1}{3},\ \dfrac{2}{7}\times\overset{3}{\underset{1}{21}}=\dfrac{2\times3}{1}=6$

10 $\dfrac{5}{\underset{4}{12}}\times\overset{5}{15}=\dfrac{5\times5}{4}=\dfrac{25}{4}=6\dfrac{1}{4}$

$\dfrac{3}{4}\times9=\dfrac{3\times9}{4}=\dfrac{27}{4}=6\dfrac{3}{4}$

11 $\dfrac{1}{\underset{3}{6}}\times\overset{5}{10}=\dfrac{1\times5}{3}=\dfrac{5}{3}=1\dfrac{2}{3}$

$\dfrac{4}{\underset{5}{15}}\times\overset{3}{9}=\dfrac{4\times3}{5}=\dfrac{12}{5}=2\dfrac{2}{5}$

12 $\dfrac{9}{\underset{4}{20}}\times\overset{5}{25}=\dfrac{45}{4}=11\dfrac{1}{4},\ \dfrac{7}{\underset{5}{30}}\times\overset{3}{18}=\dfrac{21}{5}=4\dfrac{1}{5}$

32~33쪽 원리❷

1 $\dfrac{3}{2}\times3=\dfrac{3\times3}{2}=\dfrac{9}{2}=4\dfrac{1}{2}$

2 $\dfrac{10}{3}\times2=\dfrac{10\times2}{3}=\dfrac{20}{3}=6\dfrac{2}{3}$

3 $\dfrac{7}{4}\times3=\dfrac{7\times3}{4}=\dfrac{21}{4}=5\dfrac{1}{4}$

4 $\dfrac{13}{4}\times7=\dfrac{13\times7}{4}=\dfrac{91}{4}=22\dfrac{3}{4}$

5 $\dfrac{20}{\underset{3}{9}}\times\overset{1}{3}=\dfrac{20\times1}{3}=\dfrac{20}{3}=6\dfrac{2}{3}$

6 $\dfrac{7}{\underset{3}{6}}\times\overset{4}{8}=\dfrac{7\times4}{3}=\dfrac{28}{3}=9\dfrac{1}{3}$

7 $\dfrac{17}{\underset{4}{8}}\times\overset{1}{2}=\dfrac{17\times1}{4}=\dfrac{17}{4}=4\dfrac{1}{4}$

8 $\dfrac{13}{\underset{1}{5}}\times\overset{3}{15}=\dfrac{13\times3}{1}=39$

9 $(2\times5)+\left(\dfrac{1}{7}\times5\right)=10+\dfrac{5}{7}=10\dfrac{5}{7}$

10 $(1\times4)+\left(\dfrac{2}{3}\times4\right)=4+\dfrac{8}{3}=4+2\dfrac{2}{3}=6\dfrac{2}{3}$

11 $(2\times8)+\left(\dfrac{4}{5}\times8\right)=16+\dfrac{32}{5}=16+6\dfrac{2}{5}$
$\qquad\qquad\qquad\qquad=22\dfrac{2}{5}$

12 $(3\times3)+\left(\dfrac{5}{8}\times3\right)=9+\dfrac{15}{8}=9+1\dfrac{7}{8}=10\dfrac{7}{8}$

13 $(1\times14)+\left(\dfrac{3}{\underset{1}{7}}\times\overset{2}{14}\right)=14+6=20$

14 $(3\times6)+\left(\dfrac{1}{\underset{3}{9}}\times\overset{2}{6}\right)=18+\dfrac{2}{3}=18\dfrac{2}{3}$

15 $(1\times5)+\left(\dfrac{7}{\underset{6}{30}}\times\overset{1}{5}\right)=5+\dfrac{7}{6}=5+1\dfrac{1}{6}=6\dfrac{1}{6}$

16 $(2\times12)+\left(\dfrac{5}{\underset{3}{9}}\times\overset{4}{12}\right)=24+\dfrac{20}{3}=24+6\dfrac{2}{3}$
$\qquad\qquad\qquad\qquad=30\dfrac{2}{3}$

1 $28\frac{1}{3}$

2 $13\frac{3}{5}$

3 $10\frac{2}{7}$

4 $16\frac{8}{9}$

5 $9\frac{9}{10}$

6 $12\frac{4}{5}$

7 $18\frac{2}{3}$

8 $19\frac{3}{8}$

9 $19\frac{1}{4}$

10 $15\frac{5}{6}$

11 $14\frac{2}{5}$

12 $17\frac{6}{7}$

13 $15\frac{3}{4}$

14 $7\frac{2}{3}$

15 $16\frac{1}{2}$

16 $18\frac{1}{2}$

17 64

18 $28\frac{1}{5}$

19 $17\frac{3}{4}$

20 $12\frac{2}{3}$

21 $17\frac{3}{4}$

22 $38\frac{1}{2}$

23 $18\frac{4}{5}$

24 $27\frac{3}{5}$

25 $32\frac{2}{5}$

26 $32\frac{2}{3}$

27 $25\frac{3}{8}$ / $25\frac{3}{8}$ kg

1 $15\frac{3}{4}$

2 $7\frac{2}{9}$

3 $19\frac{5}{6}$

4 $25\frac{5}{9}$

5 $43\frac{1}{5}$

6 14

7 $7\frac{1}{4}$

8 $7\frac{3}{7}$

9 21

10 $11\frac{1}{3}$

11 $10\frac{2}{3}$

12 $9\frac{13}{15}$

13 $10\frac{5}{7}$

14 $47\frac{1}{4}$

15 $14\frac{1}{7}$

16 $13\frac{3}{4}$

17 36

18 $46\frac{4}{5}$

4 $2\frac{5}{9}\times10=(2\times10)+\left(\frac{5}{9}\times10\right)=20+\frac{50}{9}$

$=20+5\frac{5}{9}=25\frac{5}{9}$

5 $3\frac{3}{5}\times12=(3\times12)+\left(\frac{3}{5}\times12\right)=36+\frac{36}{5}$

$=36+7\frac{1}{5}=43\frac{1}{5}$

7 $1\frac{1}{28}\times7=\frac{29}{\overset{}{\underset{4}{28}}}\times\overset{1}{7}=\frac{29\times1}{4}=\frac{29}{4}=7\frac{1}{4}$

8 $1\frac{5}{21}\times6=\frac{26}{\underset{7}{21}}\times\overset{2}{6}=\frac{26\times2}{7}=\frac{52}{7}=7\frac{3}{7}$

9 $1\frac{2}{5}\times15=(1\times15)+\left(\frac{2}{\underset{1}{5}}\times\overset{3}{15}\right)=15+6=21$

10 $1\frac{5}{12}\times8=(1\times8)+\left(\frac{5}{\underset{3}{12}}\times\overset{2}{8}\right)=8+\frac{10}{3}$

$=8+3\frac{1}{3}=11\frac{1}{3}$

13 $3\frac{4}{7}\times3=(3\times3)+\left(\frac{4}{7}\times3\right)=9+\frac{12}{7}$

$=9+1\frac{5}{7}=10\frac{5}{7}$

14 $5\frac{1}{4}\times9=(5\times9)+\left(\frac{1}{4}\times9\right)=45+\frac{9}{4}$

$=45+2\frac{1}{4}=47\frac{1}{4}$

15 $2\frac{5}{14}\times6=\frac{33}{\underset{7}{14}}\times\overset{3}{6}=\frac{33\times3}{7}=\frac{99}{7}=14\frac{1}{7}$

16 $6\frac{7}{8}\times2=\frac{55}{\underset{4}{8}}\times\overset{1}{2}=\frac{55\times1}{4}=\frac{55}{4}=13\frac{3}{4}$

17 $3\frac{3}{5}\times10=(3\times10)+\left(\frac{3}{\underset{1}{5}}\times\overset{2}{10}\right)=30+6=36$

18 $3\frac{9}{10}\times12=(3\times12)+\left(\frac{9}{\underset{5}{10}}\times\overset{6}{12}\right)=36+\frac{54}{5}$

$=36+10\frac{4}{5}=46\frac{4}{5}$

1 $\dfrac{3\times3}{5}=\dfrac{9}{5}=1\dfrac{4}{5}$

2 $\dfrac{5\times2}{3}=\dfrac{10}{3}=3\dfrac{1}{3}$

3 $\dfrac{7\times1}{4}=\dfrac{7}{4}=1\dfrac{3}{4}$

4 $\dfrac{8\times5}{9}=\dfrac{40}{9}=4\dfrac{4}{9}$

5 $\dfrac{3\times5}{\overset{}{\underset{2}{6}}}=\dfrac{\overset{5}{15}}{6}=\dfrac{5}{2}=2\dfrac{1}{2}$

6 $\dfrac{12\times2}{3}=\dfrac{\overset{8}{24}}{\underset{1}{3}}=8$

7 $\dfrac{2\times5}{8}=\dfrac{\overset{5}{10}}{\underset{4}{8}}=\dfrac{5}{4}=1\dfrac{1}{4}$

8 $\dfrac{9\times8}{15}=\dfrac{\overset{24}{72}}{\underset{5}{15}}=\dfrac{24}{5}=4\dfrac{4}{5}$

9 $\dfrac{\overset{1}{5}\times13}{\underset{5}{25}}=\dfrac{13}{5}=2\dfrac{3}{5}$

10 $\dfrac{12\times9}{\underset{5}{\overset{6}{10}}}=\dfrac{54}{5}=10\dfrac{4}{5}$

11 $\dfrac{\overset{5}{15}\times5}{\underset{4}{12}}=\dfrac{25}{4}=6\dfrac{1}{4}$

12 $\dfrac{\overset{2}{16}\times7}{\underset{3}{24}}=\dfrac{14}{3}=4\dfrac{2}{3}$

13 $\dfrac{\overset{4}{8}\times7}{\underset{15}{30}}=\dfrac{28}{15}=1\dfrac{13}{15}$

14 $\dfrac{\overset{1}{4}\times11}{\underset{5}{20}}=\dfrac{11}{5}=2\dfrac{1}{5}$

15 $\overset{5}{25}\times\dfrac{7}{\underset{2}{10}}=\dfrac{5\times7}{2}=\dfrac{35}{2}=17\dfrac{1}{2}$

16 $\overset{5}{30}\times\dfrac{13}{\underset{3}{18}}=\dfrac{5\times13}{3}=\dfrac{65}{3}=21\dfrac{2}{3}$

17 $\overset{1}{7}\times\dfrac{11}{\underset{2}{14}}=\dfrac{1\times11}{2}=\dfrac{11}{2}=5\dfrac{1}{2}$

18 $\overset{2}{6}\times\dfrac{8}{\underset{7}{21}}=\dfrac{2\times8}{7}=\dfrac{16}{7}=2\dfrac{2}{7}$

19 $\overset{4}{12}\times\dfrac{7}{\underset{5}{15}}=\dfrac{4\times7}{5}=\dfrac{28}{5}=5\dfrac{3}{5}$

20 $\overset{5}{15}\times\dfrac{11}{\underset{8}{24}}=\dfrac{5\times11}{8}=\dfrac{55}{8}=6\dfrac{7}{8}$

1 $1\dfrac{3}{5}$

2 $2\dfrac{1}{4}$

3 $2\dfrac{7}{9}$

4 $4\dfrac{4}{5}$

5 $1\dfrac{1}{7}$

6 $1\dfrac{1}{8}$

7 $3\dfrac{3}{11}$

8 $2\dfrac{2}{5}$

9 21

10 $9\dfrac{3}{4}$

11 $5\dfrac{1}{3}$

12 $3\dfrac{1}{5}$

13 $6\dfrac{9}{16}$

14 $9\dfrac{1}{3}$

15 $5\dfrac{1}{3}$

16 $3\dfrac{1}{3}$

17 $1\dfrac{2}{5}$

18 $1\dfrac{1}{3}$

19 $1\dfrac{1}{3}$

20 $5\dfrac{1}{4}$

21 $3\dfrac{1}{3}$

22 $1\dfrac{3}{4}$

23 $5\dfrac{1}{3}$

24 $1\dfrac{1}{2}$

25 $\dfrac{2}{3}$

26 $5\dfrac{2}{5}$

27 $1\dfrac{3}{4}$ / $1\dfrac{3}{4}$ m²

1 $1\dfrac{1}{6}$

10 $2\dfrac{1}{4}$

2 $\dfrac{10}{11}$

11 $3\dfrac{3}{4}, 5\dfrac{1}{4}$

3 $1\dfrac{5}{7}$

12 $\dfrac{9}{17}, 1\dfrac{10}{17}$

4 $4\dfrac{2}{5}$

13 $5\dfrac{3}{5}, 10\dfrac{1}{2}$

5 $3\dfrac{3}{14}$

14 $3\dfrac{3}{4}, 2\dfrac{1}{2}$

6 $2\dfrac{2}{3}$

15 $2\dfrac{1}{2}, 2\dfrac{7}{9}$

7 $1\dfrac{1}{5}$

16 $4, 6$

8 4

17 $3\dfrac{3}{4}, 7\dfrac{1}{2}$

9 $3\dfrac{3}{13}$

18 $6\dfrac{6}{11}, 4\dfrac{10}{11}$

7 $\overset{2}{\cancel{4}} \times \dfrac{3}{\underset{5}{\cancel{10}}} = \dfrac{2\times 3}{5} = \dfrac{6}{5} = 1\dfrac{1}{5}$

8 $\overset{2}{\cancel{10}} \times \dfrac{2}{\underset{1}{\cancel{5}}} = \dfrac{2\times 2}{1} = 4$

9 $\overset{6}{\cancel{12}} \times \dfrac{7}{\underset{13}{\cancel{26}}} = \dfrac{6\times 7}{13} = \dfrac{42}{13} = 3\dfrac{3}{13}$

10 $\overset{3}{\cancel{24}} \times \dfrac{3}{\underset{4}{\cancel{32}}} = \dfrac{3\times 3}{4} = \dfrac{9}{4} = 2\dfrac{1}{4}$

15 $\overset{1}{\cancel{9}} \times \dfrac{5}{\underset{2}{\cancel{18}}} = \dfrac{1\times 5}{2} = \dfrac{5}{2} = 2\dfrac{1}{2}$,

$\overset{5}{\cancel{10}} \times \dfrac{5}{\underset{9}{\cancel{18}}} = \dfrac{5\times 5}{9} = \dfrac{25}{9} = 2\dfrac{7}{9}$

16 $\overset{2}{\cancel{14}} \times \dfrac{2}{\underset{1}{\cancel{7}}} = \dfrac{2\times 2}{1} = 4$, $\overset{3}{\cancel{21}} \times \dfrac{2}{\underset{1}{\cancel{7}}} = \dfrac{3\times 2}{1} = 6$

17 $\overset{3}{\cancel{9}} \times \dfrac{5}{\underset{4}{\cancel{12}}} = \dfrac{3\times 5}{4} = \dfrac{15}{4} = 3\dfrac{3}{4}$,

$\overset{3}{\cancel{18}} \times \dfrac{5}{\underset{2}{\cancel{12}}} = \dfrac{3\times 5}{2} = \dfrac{15}{2} = 7\dfrac{1}{2}$

18 $\overset{8}{\cancel{16}} \times \dfrac{9}{\underset{11}{\cancel{22}}} = \dfrac{8\times 9}{11} = \dfrac{72}{11} = 6\dfrac{6}{11}$,

$\overset{6}{\cancel{12}} \times \dfrac{9}{\underset{11}{\cancel{22}}} = \dfrac{6\times 9}{11} = \dfrac{54}{11} = 4\dfrac{10}{11}$

1 $2 \times \dfrac{9}{5} = \dfrac{2\times 9}{5} = \dfrac{18}{5} = 3\dfrac{3}{5}$

2 $4 \times \dfrac{5}{3} = \dfrac{4\times 5}{3} = \dfrac{20}{3} = 6\dfrac{2}{3}$

3 $5 \times \dfrac{23}{6} = \dfrac{5\times 23}{6} = \dfrac{115}{6} = 19\dfrac{1}{6}$

4 $3 \times \dfrac{9}{4} = \dfrac{3\times 9}{4} = \dfrac{27}{4} = 6\dfrac{3}{4}$

5 $\overset{1}{\cancel{3}} \times \dfrac{22}{\underset{3}{\cancel{9}}} = \dfrac{1\times 22}{3} = \dfrac{22}{3} = 7\dfrac{1}{3}$

6 $\overset{2}{\cancel{4}} \times \dfrac{7}{\underset{3}{\cancel{6}}} = \dfrac{2\times 7}{3} = \dfrac{14}{3} = 4\dfrac{2}{3}$

7 $\overset{3}{\cancel{6}} \times \dfrac{33}{\underset{4}{\cancel{8}}} = \dfrac{3\times 33}{4} = \dfrac{99}{4} = 24\dfrac{3}{4}$

8 $\overset{2}{\cancel{10}} \times \dfrac{13}{\underset{1}{\cancel{5}}} = \dfrac{2\times 13}{1} = 26$

9 $(2\times 4) + \left(2\times \dfrac{2}{5}\right) = 8 + \dfrac{4}{5} = 8\dfrac{4}{5}$

10 $(9\times 3) + \left(9\times \dfrac{3}{8}\right) = 27 + \dfrac{27}{8} = 27 + 3\dfrac{3}{8}$

$= 30\dfrac{3}{8}$

11 $(3\times 5) + \left(3\times \dfrac{1}{2}\right) = 15 + \dfrac{3}{2} = 15 + 1\dfrac{1}{2}$

$= 16\dfrac{1}{2}$

12 $(3\times 2) + \left(3\times \dfrac{3}{5}\right) = 6 + \dfrac{9}{5} = 6 + 1\dfrac{4}{5} = 7\dfrac{4}{5}$

13 $(8\times 1) + \left(\overset{2}{\cancel{8}} \times \dfrac{3}{\underset{1}{\cancel{4}}}\right) = 8 + 6 = 14$

14 $(6\times 3) + \left(\overset{2}{\cancel{6}} \times \dfrac{2}{\underset{5}{\cancel{15}}}\right) = 18 + \dfrac{4}{5} = 18\dfrac{4}{5}$

15 $(4\times 3) + \left(\overset{2}{\cancel{4}} \times \dfrac{9}{\underset{5}{\cancel{10}}}\right) = 12 + \dfrac{18}{5} = 12 + 3\dfrac{3}{5}$

$= 15\dfrac{3}{5}$

16 $(12\times 2) + \left(\overset{3}{\cancel{12}} \times \dfrac{5}{\underset{2}{\cancel{8}}}\right) = 24 + \dfrac{15}{2} = 24 + 7\dfrac{1}{2}$

$= 31\dfrac{1}{2}$

46~47쪽 **연습 ❹**

1	$22\frac{2}{9}$	**15**	$11\frac{1}{5}$
2	$35\frac{3}{7}$	**16**	$22\frac{1}{3}$
3	$16\frac{1}{3}$	**17**	$15\frac{3}{8}$
4	$12\frac{6}{7}$	**18**	$37\frac{3}{5}$
5	$11\frac{1}{3}$	**19**	$14\frac{1}{2}$
6	$13\frac{4}{5}$	**20**	15
7	$6\frac{6}{17}$	**21**	$23\frac{3}{5}$
8	$5\frac{3}{5}$	**22**	$13\frac{2}{3}$
9	$16\frac{2}{3}$	**23**	$20\frac{2}{3}$
10	$5\frac{1}{5}$	**24**	$11\frac{2}{5}$
11	$14\frac{2}{9}$	**25**	$42\frac{1}{2}$
12	$8\frac{1}{13}$	**26**	$36\frac{1}{2}$
13	$13\frac{1}{5}$	**27**	52 / 52 kg
14	$16\frac{1}{2}$		

48~49쪽 **적용 ❹**

1	$12\frac{4}{5}$	**9**	$8\frac{1}{2}$
2	$2\frac{2}{13}$	**10**	$11\frac{1}{7}$
3	$8\frac{1}{4}$	**11**	$11\frac{1}{4}$
4	$10\frac{5}{8}$	**12**	$4\frac{4}{17}$
5	$20\frac{2}{5}$	**13**	$6\frac{2}{3}$
6	$11\frac{1}{3}$	**14**	$8\frac{5}{9}$
7	13	**15**	$22\frac{2}{5}$
8	$11\frac{1}{2}$	**16**	42

17	$12\frac{3}{7}$	**19**	$7\frac{1}{2}$
18	$17\frac{7}{13}$	**20**	$23\frac{3}{4}$

5 $6 \times 3\frac{2}{5} = (6 \times 3) + \left(6 \times \frac{2}{5}\right) = 18 + \frac{12}{5}$
$= 18 + 2\frac{2}{5} = 20\frac{2}{5}$

8 $3 \times 3\frac{5}{6} = 3 \times \frac{23}{6} = \frac{1 \times 23}{2} = \frac{23}{2} = 11\frac{1}{2}$

9 $6 \times 1\frac{5}{12} = (6 \times 1) + \left(6 \times \frac{5}{12}\right) = 6 + \frac{5}{2}$
$= 6 + 2\frac{1}{2} = 8\frac{1}{2}$

10 $9 \times 1\frac{5}{21} = (9 \times 1) + \left(9 \times \frac{5}{21}\right) = 9 + \frac{15}{7}$
$= 9 + 2\frac{1}{7} = 11\frac{1}{7}$

12 $4 \times 1\frac{1}{17} = 4 \times \frac{18}{17} = \frac{4 \times 18}{17} = \frac{72}{17} = 4\frac{4}{17}$

13 $2 \times 3\frac{1}{3} = 2 \times \frac{10}{3} = \frac{2 \times 10}{3} = \frac{20}{3} = 6\frac{2}{3}$

14 $7 \times 1\frac{2}{9} = (7 \times 1) + \left(7 \times \frac{2}{9}\right) = 7 + \frac{14}{9}$
$= 7 + 1\frac{5}{9} = 8\frac{5}{9}$

15 $8 \times 2\frac{4}{5} = (8 \times 2) + \left(8 \times \frac{4}{5}\right) = 16 + \frac{32}{5}$
$= 16 + 6\frac{2}{5} = 22\frac{2}{5}$

17 $6 \times 2\frac{1}{14} = 6 \times \frac{29}{14} = \frac{3 \times 29}{7} = \frac{87}{7} = 12\frac{3}{7}$

18 $8 \times 2\frac{5}{26} = 8 \times \frac{57}{26} = \frac{4 \times 57}{13} = \frac{228}{13} = 17\frac{7}{13}$

19 $4 \times 1\frac{7}{8} = (4 \times 1) + \left(4 \times \frac{7}{8}\right) = 4 + \frac{7}{2}$
$= 4 + 3\frac{1}{2} = 7\frac{1}{2}$

20 $15 \times 1\frac{7}{12} = (15 \times 1) + \left(15 \times \frac{7}{12}\right) = 15 + \frac{35}{4}$
$= 15 + 8\frac{3}{4} = 23\frac{3}{4}$

50~51쪽 원리 ❺

1 $\dfrac{1\times1}{2\times4}=\dfrac{1}{8}$

2 $\dfrac{1\times1}{5\times6}=\dfrac{1}{30}$

3 $\dfrac{3\times1}{4\times2}=\dfrac{3}{8}$

4 $\dfrac{2\times2}{3\times5}=\dfrac{4}{15}$

5 $\dfrac{3\times5}{8\times6}=\dfrac{\overset{5}{\cancel{15}}}{\underset{16}{\cancel{48}}}=\dfrac{5}{16}$

6 $\dfrac{8\times3}{9\times4}=\dfrac{\overset{2}{\cancel{24}}}{\underset{3}{\cancel{36}}}=\dfrac{2}{3}$

7 $\dfrac{1\times9}{3\times11}=\dfrac{\overset{3}{\cancel{9}}}{\underset{11}{\cancel{33}}}=\dfrac{3}{11}$

8 $\dfrac{3\times2}{10\times9}=\dfrac{\overset{1}{\cancel{6}}}{\underset{15}{\cancel{90}}}=\dfrac{1}{15}$

9 $\dfrac{\overset{1}{\cancel{4}}\times7}{9\times\underset{3}{\cancel{12}}}=\dfrac{7}{27}$

10 $\dfrac{3\times\overset{1}{\cancel{4}}}{\underset{2}{\cancel{8}}\times5}=\dfrac{3}{10}$

11 $\dfrac{3\times5}{7\times\underset{3}{\cancel{9}}}=\dfrac{5}{21}$

12 $\dfrac{1\times\overset{1}{\cancel{2}}}{\underset{3}{\cancel{6}}\times5}=\dfrac{1}{15}$

13 $\dfrac{\overset{1}{\cancel{3}}\times\overset{1}{\cancel{2}}}{\underset{7}{\cancel{14}}\times\underset{1}{\cancel{3}}}=\dfrac{1}{7}$

14 $\dfrac{\overset{1}{\cancel{7}}\times\overset{2}{\cancel{8}}}{\underset{3}{\cancel{12}}\times\underset{5}{\cancel{35}}}=\dfrac{2}{15}$

15 $\dfrac{3}{\underset{2}{\cancel{4}}}\times\dfrac{\overset{1}{\cancel{2}}}{7}=\dfrac{3}{14}$

16 $\dfrac{11}{\underset{2}{\cancel{16}}}\times\dfrac{\overset{1}{\cancel{8}}}{9}=\dfrac{11}{18}$

17 $\dfrac{\overset{1}{\cancel{5}}}{\underset{3}{\cancel{9}}}\times\dfrac{\overset{1}{\cancel{3}}}{\underset{2}{\cancel{10}}}=\dfrac{1}{6}$

18 $\dfrac{\overset{1}{\cancel{5}}}{\underset{1}{\cancel{8}}}\times\dfrac{\overset{1}{\cancel{8}}}{\underset{3}{\cancel{15}}}=\dfrac{1}{3}$

19 $\dfrac{\overset{1}{\cancel{3}}}{\underset{1}{\cancel{5}}}\times\dfrac{\overset{2}{\cancel{10}}}{\underset{7}{\cancel{21}}}=\dfrac{2}{7}$

20 $\dfrac{\overset{1}{\cancel{9}}}{\underset{5}{\cancel{10}}}\times\dfrac{\overset{8}{\cancel{16}}}{\underset{3}{\cancel{27}}}=\dfrac{8}{15}$

52~53쪽 연습 ❺

1 $\dfrac{1}{32}$

2 $\dfrac{1}{20}$

3 $\dfrac{1}{49}$

4 $\dfrac{2}{21}$

5 $\dfrac{4}{45}$

6 $\dfrac{8}{15}$

7 $\dfrac{15}{28}$

8 $\dfrac{2}{7}$

9 $\dfrac{3}{55}$

10 $\dfrac{7}{27}$

11 $\dfrac{5}{21}$

12 $\dfrac{14}{27}$

13 $\dfrac{14}{33}$

14 $\dfrac{11}{32}$

15 $\dfrac{2}{15}$

16 $\dfrac{15}{28}$

17 $\dfrac{10}{51}$

18 $\dfrac{7}{12}$

19 $\dfrac{3}{32}$

20 $\dfrac{5}{12}$

21 $\dfrac{2}{5}$

22 $\dfrac{2}{9}$

23 $\dfrac{30}{49}$

24 $\dfrac{3}{20}$

25 $\dfrac{2}{15}$

26 $\dfrac{4}{5}$

27 $\dfrac{3}{20}$ / $\dfrac{3}{20}$ m²

54~55쪽 적용 ❺

1 $\dfrac{1}{33}$

2 $\dfrac{1}{48}$

3 $\dfrac{20}{33}$

4 $\dfrac{2}{27}$

5 $\dfrac{7}{15}$

6 $\dfrac{1}{4}$

7 $\dfrac{4}{25}$

8 $\dfrac{5}{27}$

9 $\dfrac{1}{35}$

10 $\dfrac{1}{24}$

11 $\dfrac{10}{21}$

12 $\dfrac{3}{10}$

13 $\dfrac{7}{24}$

14 $\dfrac{3}{14}$

15 $\dfrac{1}{6}$

16 $\dfrac{35}{66}$

17 $\dfrac{3}{16}$

18 $\dfrac{21}{40}$

3 $\dfrac{\overset{4}{\cancel{8}}}{11}\times\dfrac{5}{\underset{3}{\cancel{6}}}=\dfrac{20}{33}$

4 $\dfrac{1}{\underset{3}{\cancel{6}}}\times\dfrac{\overset{2}{\cancel{4}}}{9}=\dfrac{2}{27}$

7 $\dfrac{\overset{4}{\cancel{8}}}{\underset{5}{\cancel{15}}} \times \dfrac{\overset{1}{\cancel{3}}}{\underset{5}{\cancel{10}}} = \dfrac{4}{25}$

8 $\dfrac{\overset{1}{\cancel{4}}}{9} \times \dfrac{5}{\underset{3}{\cancel{12}}} = \dfrac{5}{27}$

10 $\dfrac{1}{\underset{3}{\cancel{9}}} \times \dfrac{\overset{1}{\cancel{3}}}{8} = \dfrac{1}{24}$

11 $\dfrac{5}{\underset{3}{\cancel{6}}} \times \dfrac{\overset{2}{\cancel{4}}}{7} = \dfrac{10}{21}$

12 $\dfrac{3}{\underset{2}{\cancel{8}}} \times \dfrac{\overset{1}{\cancel{4}}}{5} = \dfrac{3}{10}$

13 $\dfrac{\overset{1}{\cancel{3}}}{4} \times \dfrac{7}{\underset{6}{\cancel{18}}} = \dfrac{7}{24}$

14 $\dfrac{\overset{1}{\cancel{5}}}{14} \times \dfrac{3}{\underset{1}{\cancel{5}}} = \dfrac{3}{14}$

15 $\dfrac{\overset{1}{\cancel{8}}}{\underset{3}{\cancel{9}}} \times \dfrac{\overset{1}{\cancel{3}}}{\underset{2}{\cancel{16}}} = \dfrac{1}{6}$

16 $\dfrac{7}{\underset{6}{\cancel{12}}} \times \dfrac{\overset{5}{\cancel{10}}}{11} = \dfrac{35}{66}$

17 $\dfrac{\overset{1}{\cancel{13}}}{\underset{4}{\cancel{20}}} \times \dfrac{\overset{3}{\cancel{15}}}{\underset{4}{\cancel{52}}} = \dfrac{3}{16}$

18 $\dfrac{\overset{3}{\cancel{9}}}{10} \times \dfrac{7}{\underset{4}{\cancel{12}}} = \dfrac{21}{40}$

56～57쪽 **원리 ⑥**

1 $\dfrac{15}{8} = 1\dfrac{7}{8}$

2 $\dfrac{49}{20} = 2\dfrac{9}{20}$

3 $\dfrac{56}{15} = 3\dfrac{11}{15}$

4 $\dfrac{40}{21} = 1\dfrac{19}{21}$

5 $\dfrac{91}{12} = 7\dfrac{7}{12}$

6 $\dfrac{77}{40} = 1\dfrac{37}{40}$

7 $\dfrac{143}{20} = 7\dfrac{3}{20}$

8 $\dfrac{169}{42} = 4\dfrac{1}{42}$

9 $\dfrac{\overset{3}{\cancel{9}}}{4} \times \dfrac{23}{\underset{2}{\cancel{6}}} = \dfrac{69}{8} = 8\dfrac{5}{8}$

10 $\dfrac{\overset{6}{\cancel{24}}}{7} \times \dfrac{11}{\underset{1}{\cancel{4}}} = \dfrac{66}{7} = 9\dfrac{3}{7}$

11 $\dfrac{11}{\underset{3}{\cancel{6}}} \times \dfrac{\overset{8}{\cancel{16}}}{7} = \dfrac{88}{21} = 4\dfrac{4}{21}$

12 $\dfrac{13}{\underset{2}{\cancel{6}}} \times \dfrac{\overset{5}{\cancel{15}}}{8} = \dfrac{65}{16} = 4\dfrac{1}{16}$

13 $\dfrac{\overset{7}{\cancel{21}}}{8} \times \dfrac{5}{\underset{1}{\cancel{3}}} = \dfrac{35}{8} = 4\dfrac{3}{8}$

14 $\dfrac{\overset{7}{\cancel{14}}}{5} \times \dfrac{13}{\underset{2}{\cancel{4}}} = \dfrac{91}{10} = 9\dfrac{1}{10}$

15 $\dfrac{\overset{10}{\cancel{20}}}{\underset{1}{\cancel{7}}} \times \dfrac{\overset{5}{\cancel{35}}}{\underset{3}{\cancel{6}}} = \dfrac{50}{3} = 16\dfrac{2}{3}$

16 $\dfrac{\overset{7}{\cancel{14}}}{\underset{1}{\cancel{3}}} \times \dfrac{\overset{7}{\cancel{21}}}{\underset{5}{\cancel{10}}} = \dfrac{49}{5} = 9\dfrac{4}{5}$

17 $\dfrac{\overset{5}{\cancel{20}}}{\underset{1}{\cancel{9}}} \times \dfrac{\overset{3}{\cancel{27}}}{\underset{2}{\cancel{8}}} = \dfrac{15}{2} = 7\dfrac{1}{2}$

18 $\dfrac{\overset{3}{\cancel{21}}}{\underset{1}{\cancel{5}}} \times \dfrac{\overset{5}{\cancel{25}}}{\underset{1}{\cancel{7}}} = \dfrac{15}{1} = 15$

19 $\dfrac{\overset{11}{\cancel{22}}}{\underset{3}{\cancel{9}}} \times \dfrac{\overset{1}{\cancel{3}}}{\underset{1}{\cancel{2}}} = \dfrac{11}{3} = 3\dfrac{2}{3}$

20 $\dfrac{\overset{2}{\cancel{16}}}{\underset{1}{\cancel{3}}} \times \dfrac{\overset{5}{\cancel{15}}}{\underset{1}{\cancel{8}}} = \dfrac{10}{1} = 10$

1 $4\dfrac{1}{20}$

2 $2\dfrac{5}{8}$

3 $7\dfrac{7}{9}$

4 $4\dfrac{11}{20}$

5 $5\dfrac{5}{24}$

6 $6\dfrac{3}{10}$

7 $4\dfrac{11}{20}$

8 $6\dfrac{1}{4}$

9 $22\dfrac{1}{2}$

10 $3\dfrac{9}{14}$

11 $12\dfrac{1}{2}$

12 $6\dfrac{2}{3}$

13 $8\dfrac{3}{4}$

14 $7\dfrac{1}{5}$

15 6

16 $3\dfrac{13}{14}$

17 $7\dfrac{3}{7}$

18 $11\dfrac{5}{9}$

19 $12\dfrac{5}{6}$

20 24

21 $4\dfrac{1}{2}$

22 $10\dfrac{5}{7}$

23 $6\dfrac{4}{5}$

24 $2\dfrac{5}{14}$

25 $3\dfrac{5}{7}$

26 $7\dfrac{1}{2}$

27 $2\dfrac{1}{2}$ / $2\dfrac{1}{2}$ cm^2

1 $3\dfrac{3}{25}$

2 $9\dfrac{9}{14}$

3 $9\dfrac{2}{7}$

4 $3\dfrac{1}{3}$

5 3

6 $8\dfrac{3}{4}$

7 $16\dfrac{4}{5}$

8 $20\dfrac{5}{6}$

9 $8\dfrac{5}{9}$

10 $5\dfrac{4}{7}$

11 $9\dfrac{1}{6}$, $12\dfrac{1}{10}$

12 $4\dfrac{1}{14}$, $7\dfrac{1}{8}$

13 60, $23\dfrac{1}{3}$

14 $11\dfrac{2}{3}$, $25\dfrac{5}{7}$

15 $10\dfrac{2}{7}$, $5\dfrac{5}{7}$

16 $8\dfrac{4}{5}$, $14\dfrac{2}{5}$

7 $3\dfrac{3}{7} \times 4\dfrac{9}{10} = \dfrac{\overset{12}{\cancel{24}}}{7} \times \dfrac{\overset{7}{\cancel{49}}}{\underset{5}{\cancel{10}}} = \dfrac{84}{5} = 16\dfrac{4}{5}$

8 $5\dfrac{5}{9} \times 3\dfrac{3}{4} = \dfrac{\overset{25}{\cancel{50}}}{\underset{3}{\cancel{9}}} \times \dfrac{\overset{5}{\cancel{15}}}{\underset{2}{\cancel{4}}} = \dfrac{125}{6} = 20\dfrac{5}{6}$

9 $4\dfrac{2}{3} \times 1\dfrac{5}{6} = \dfrac{14}{3} \times \dfrac{11}{\underset{3}{\cancel{6}}}^{7} = \dfrac{77}{9} = 8\dfrac{5}{9}$

10 $2\dfrac{4}{7} \times 2\dfrac{1}{6} = \dfrac{\overset{3}{\cancel{18}}}{7} \times \dfrac{13}{\underset{1}{\cancel{6}}} = \dfrac{39}{7} = 5\dfrac{4}{7}$

11 $5\dfrac{1}{2} \times 1\dfrac{2}{3} = \dfrac{11}{2} \times \dfrac{5}{3} = \dfrac{55}{6} = 9\dfrac{1}{6}$,

    $5\dfrac{1}{2} \times 2\dfrac{1}{5} = \dfrac{11}{2} \times \dfrac{11}{5} = \dfrac{121}{10} = 12\dfrac{1}{10}$

12 $1\dfrac{9}{10} \times 2\dfrac{1}{7} = \dfrac{19}{\underset{2}{\cancel{10}}} \times \dfrac{\overset{3}{\cancel{15}}}{7} = \dfrac{57}{14} = 4\dfrac{1}{14}$,

    $1\dfrac{9}{10} \times 3\dfrac{3}{4} = \dfrac{19}{\underset{2}{\cancel{10}}} \times \dfrac{\overset{3}{\cancel{15}}}{4} = \dfrac{57}{8} = 7\dfrac{1}{8}$

13 $9\dfrac{1}{3} \times 6\dfrac{3}{7} = \dfrac{\overset{4}{\cancel{28}}}{\underset{1}{\cancel{3}}} \times \dfrac{\overset{15}{\cancel{45}}}{\underset{1}{\cancel{7}}} = 60$,

    $9\dfrac{1}{3} \times 2\dfrac{1}{2} = \dfrac{\overset{14}{\cancel{28}}}{3} \times \dfrac{5}{\underset{1}{\cancel{2}}} = \dfrac{70}{3} = 23\dfrac{1}{3}$

14 $5\dfrac{5}{8} \times 2\dfrac{2}{27} = \dfrac{\overset{5}{\cancel{45}}}{\underset{1}{\cancel{8}}} \times \dfrac{\overset{7}{\cancel{56}}}{\underset{3}{\cancel{27}}} = \dfrac{35}{3} = 11\dfrac{2}{3}$,

    $5\dfrac{5}{8} \times 4\dfrac{4}{7} = \dfrac{45}{\underset{1}{\cancel{8}}} \times \dfrac{\overset{4}{\cancel{32}}}{7} = \dfrac{180}{7} = 25\dfrac{5}{7}$

15 $4\dfrac{2}{7} \times 2\dfrac{2}{5} = \dfrac{\overset{6}{\cancel{30}}}{7} \times \dfrac{12}{\underset{1}{\cancel{5}}} = \dfrac{72}{7} = 10\dfrac{2}{7}$,

    $4\dfrac{2}{7} \times 1\dfrac{1}{3} = \dfrac{\overset{10}{\cancel{30}}}{7} \times \dfrac{4}{\underset{1}{\cancel{3}}} = \dfrac{40}{7} = 5\dfrac{5}{7}$

16 $6\dfrac{2}{5} \times 1\dfrac{3}{8} = \dfrac{\overset{4}{\cancel{32}}}{5} \times \dfrac{11}{\underset{1}{\cancel{8}}} = \dfrac{44}{5} = 8\dfrac{4}{5}$,

    $6\dfrac{2}{5} \times 2\dfrac{1}{4} = \dfrac{\overset{8}{\cancel{32}}}{5} \times \dfrac{9}{\underset{1}{\cancel{4}}} = \dfrac{72}{5} = 14\dfrac{2}{5}$

62~63쪽 원리 ❼

1 $\dfrac{1}{6} \times \dfrac{1}{5} = \dfrac{1}{30}$

2 $\dfrac{1}{12} \times \dfrac{1}{4} = \dfrac{1}{48}$

3 $\dfrac{3}{8} \times \dfrac{3}{5} = \dfrac{9}{40}$

4 $\dfrac{5}{42} \times \dfrac{1}{8} = \dfrac{5}{336}$

5 $\dfrac{5}{24} \times \dfrac{3}{7} = \dfrac{5}{56}$

6 $\dfrac{9}{35} \times \dfrac{7}{8} = \dfrac{9}{40}$

7 $\left(\dfrac{3}{4} \times \dfrac{8}{9}\right) \times \dfrac{2}{3} = \dfrac{2}{3} \times \dfrac{2}{3} = \dfrac{4}{9}$

8 $\left(\dfrac{1}{4} \times \dfrac{2}{5}\right) \times \dfrac{2}{3} = \dfrac{1}{10} \times \dfrac{2}{3} = \dfrac{1}{15}$

9 $\dfrac{1 \times 4 \times 5}{5 \times 7 \times 6} = \dfrac{2}{21}$

10 $\dfrac{3 \times 5 \times 4}{7 \times 8 \times 9} = \dfrac{5}{42}$

11 $\dfrac{7 \times 3 \times 2}{9 \times 4 \times 5} = \dfrac{7}{30}$

12 $\dfrac{2 \times 7 \times 3}{3 \times 6 \times 8} = \dfrac{7}{24}$

13 $\dfrac{21 \times 21 \times 2}{5 \times 8 \times 7} = \dfrac{63}{20} = 3\dfrac{3}{20}$

14 $\dfrac{8 \times 5 \times 7}{5 \times 4 \times 3} = \dfrac{14}{3} = 4\dfrac{2}{3}$

15 $\dfrac{3}{8} \times \dfrac{4}{5} \times \dfrac{7}{18} = \dfrac{7}{60}$

16 $\dfrac{3}{4} \times \dfrac{3}{10} \times \dfrac{5}{12} = \dfrac{3}{32}$

17 $\dfrac{1}{2} \times \dfrac{5}{9} \times \dfrac{4}{5} = \dfrac{2}{9}$

18 $\dfrac{17}{5} \times \dfrac{3}{4} \times \dfrac{5}{6} = \dfrac{17}{8} = 2\dfrac{1}{8}$

19 $\dfrac{3}{4} \times \dfrac{17}{6} \times \dfrac{10}{7} = \dfrac{85}{28} = 3\dfrac{1}{28}$

20 $\dfrac{5}{2} \times \dfrac{16}{5} \times \dfrac{13}{3} = \dfrac{104}{3} = 34\dfrac{2}{3}$

64~65쪽 연습 ❼

1 $\dfrac{1}{72}$

2 $\dfrac{1}{30}$

3 $\dfrac{1}{120}$

4 $\dfrac{27}{200}$

5 $\dfrac{27}{140}$

6 $\dfrac{1}{16}$

7 $\dfrac{1}{18}$

8 $\dfrac{2}{45}$

9 $\dfrac{3}{40}$

10 $\dfrac{10}{63}$

11 $\dfrac{3}{16}$

12 $\dfrac{3}{7}$

13 $\dfrac{10}{33}$

14 $\dfrac{9}{56}$

15 $\dfrac{1}{5}$

16 $\dfrac{32}{45}$

17 $\dfrac{3}{14}$

18 $\dfrac{1}{24}$

19 $\dfrac{11}{12}$

20 $\dfrac{13}{84}$

21 $1\dfrac{71}{99}$

22 $1\dfrac{2}{7}$

23 $5\dfrac{2}{3}$

24 $3\dfrac{5}{24}$

25 $18\dfrac{2}{5}$

26 20

27 $\dfrac{3}{25}$ / $\dfrac{3}{25}$

1	$\dfrac{1}{54}$	**9**	$\dfrac{1}{192}$
2	$\dfrac{1}{6}$	**10**	$\dfrac{1}{6}$
3	$\dfrac{15}{98}$	**11**	$\dfrac{5}{36}$
4	$\dfrac{9}{32}$	**12**	$\dfrac{4}{21}$
5	$\dfrac{2}{15}$	**13**	$\dfrac{2}{15}$
6	$\dfrac{5}{49}$	**14**	$\dfrac{1}{30}$
7	$\dfrac{5}{27}$	**15**	$1\dfrac{19}{20}$
8	$16\dfrac{2}{3}$	**16**	$17\dfrac{1}{7}$

3 $\overset{3}{\cancel{6}}{7} \times \dfrac{\overset{1}{\cancel{9}}}{\underset{7}{\cancel{14}}} \times \dfrac{5}{\underset{2}{\cancel{18}}} = \dfrac{15}{98}$

4 $\dfrac{\overset{1}{\cancel{5}}}{\underset{4}{\cancel{12}}} \times \dfrac{3}{4} \times \dfrac{9}{\underset{2}{\cancel{10}}} = \dfrac{9}{32}$

7 $2\dfrac{2}{9} \times \dfrac{2}{15} \times \dfrac{5}{8} = \dfrac{20}{9} \times \dfrac{2}{\underset{3}{\cancel{15}}} \times \dfrac{\overset{1}{\cancel{5}}}{\underset{\underset{1}{4}}{\cancel{8}}} = \dfrac{5}{27}$

8 $2\dfrac{1}{2} \times 1\dfrac{3}{7} \times 4\dfrac{2}{3} = \dfrac{5}{\underset{1}{\cancel{2}}} \times \dfrac{\overset{5}{\cancel{10}}}{\underset{1}{\cancel{7}}} \times \dfrac{14}{3} = \dfrac{50}{3} = 16\dfrac{2}{3}$

11 $\dfrac{\overset{1}{\cancel{2}}}{\underset{3}{\cancel{9}}} \times \dfrac{5}{6} \times \dfrac{\overset{1}{\cancel{3}}}{\underset{2}{\cancel{4}}} = \dfrac{5}{36}$

12 $\dfrac{\overset{1}{\cancel{5}}}{\underset{7}{\cancel{14}}} \times \dfrac{2}{3} \times \dfrac{4}{\underset{1}{\cancel{5}}} = \dfrac{4}{21}$

14 $\dfrac{\overset{1}{\cancel{4}}}{\underset{3}{\cancel{21}}} \times \dfrac{\overset{1}{\cancel{14}}}{\underset{5}{\cancel{15}}} \times \dfrac{\overset{1}{\cancel{3}}}{\underset{\underset{2}{4}}{\cancel{16}}} = \dfrac{1}{30}$

15 $\dfrac{9}{16} \times 1\dfrac{3}{5} \times 2\dfrac{1}{6} = \dfrac{\overset{3}{\cancel{9}}}{\underset{2}{\cancel{16}}} \times \dfrac{\overset{1}{\cancel{8}}}{5} \times \dfrac{13}{\underset{2}{\cancel{6}}} = \dfrac{39}{20} = 1\dfrac{19}{20}$

16 $3\dfrac{1}{3} \times 2\dfrac{2}{7} \times 2\dfrac{1}{4} = \dfrac{10}{\underset{1}{\cancel{3}}} \times \dfrac{\overset{4}{\cancel{16}}}{7} \times \dfrac{\overset{3}{\cancel{9}}}{\underset{1}{\cancel{4}}} = \dfrac{120}{7} = 17\dfrac{1}{7}$

1	$1\dfrac{4}{5}$	**17**	$2\dfrac{13}{18}$
2	$1\dfrac{2}{3}$	**18**	$6\dfrac{1}{3}$
3	$2\dfrac{1}{3}$	**19**	$15\dfrac{1}{3}$
4	$7\dfrac{1}{3}$	**20**	$20\dfrac{5}{6}$
5	$6\dfrac{2}{7}$	**21**	$\dfrac{1}{28}$
6	$14\dfrac{2}{3}$	**22**	$\dfrac{3}{20}$
7	$3\dfrac{1}{3}$	**23**	$\dfrac{8}{9}$
8	$3\dfrac{1}{2}$	**24**	$11\dfrac{8}{81}$
9	$2\dfrac{2}{3}$	**25**	$6\dfrac{1}{4}$
10	$3\dfrac{3}{7}$	**26**	$16\dfrac{1}{2}$
11	$18\dfrac{2}{5}$	**27**	$11\dfrac{2}{3}$
12	$10\dfrac{1}{2}$	**28**	34
13	$\dfrac{1}{25}$	**29**	$\dfrac{1}{21}$
14	$\dfrac{1}{18}$	**30**	$7\dfrac{6}{7}$
15	$\dfrac{4}{5}$	**31**	$\dfrac{1}{12}$
16	$\dfrac{11}{21}$	**32**	$21\dfrac{1}{3}$

26 $1\dfrac{5}{6} \times 9 = \dfrac{11}{\underset{2}{\cancel{6}}} \times \overset{3}{\cancel{9}} = \dfrac{11 \times 3}{2} = \dfrac{33}{2} = 16\dfrac{1}{2}$

28 $6 \times 5\dfrac{2}{3} = \overset{2}{\cancel{6}} \times \dfrac{17}{\underset{1}{\cancel{3}}} = \dfrac{2 \times 17}{1} = 34$

29 $\dfrac{1}{\underset{3}{\cancel{6}}} \times \dfrac{\overset{1}{\cancel{2}}}{7} = \dfrac{1}{21}$

30 $3\dfrac{4}{7} \times 2\dfrac{1}{5} = \dfrac{25}{7} \times \dfrac{11}{\underset{1}{\cancel{5}}} = \dfrac{55}{7} = 7\dfrac{6}{7}$

32 $6\dfrac{2}{5} \times 2\dfrac{2}{3} \times 1\dfrac{1}{4} = \dfrac{32}{5} \times \dfrac{\overset{2}{\cancel{8}}}{3} \times \dfrac{\overset{1}{\cancel{5}}}{\underset{1}{\cancel{4}}} = \dfrac{64}{3} = 21\dfrac{1}{3}$

3 소수의 곱셈

1 7, 7, 4, 28, 2.8
2 4, 4, 9, 36, 3.6
3 8, 8, 6, 48, 4.8
4 6, 6, 7, 42, 4.2
5 54, 54, 7, 378, 3.78
6 92, 92, 3, 276, 2.76
7 21, 21, 8, 168, 1.68
8 34, 34, 6, 204, 2.04
9 1.5
10 5.4
11 2.4
12 1.4
13 1.2
14 3.6
15 3.64
16 5.11
17 1.28
18 0.78
19 1.88
20 2.32

1 3.5
2 2.7
3 1.6
4 0.6
5 2.4
6 0.8
7 2.8
8 2.1
9 0.8
10 5.4
11 0.5
12 1.4
13 4.5
14 2.4
15 0.28
16 1.08
17 0.96
18 3.05
19 0.81
20 1.72
21 4.75
22 3.43
23 2.48
24 2.16
25 0.95
26 4.44
27 2.52 / 2.52 kg

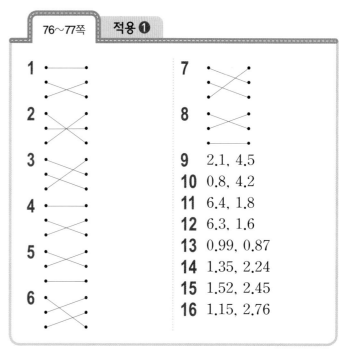

26
$$\begin{array}{r} \overset{2}{0.7\,4} \\ \times 6 \\ \hline 4.4\,4 \end{array}$$

27
$$\begin{array}{r} \overset{1}{0.4\,2} \\ \times 6 \\ \hline 2.5\,2 \end{array}$$

9 2.1, 4.5
10 0.8, 4.2
11 6.4, 1.8
12 6.3, 1.6
13 0.99, 0.87
14 1.35, 2.24
15 1.52, 2.45
16 1.15, 2.76

1 $0.1 \times 9 = 0.9$ $0.7 \times 5 = 3.5$ $0.8 \times 4 = 3.2$
2 $0.3 \times 6 = 1.8$ $0.9 \times 3 = 2.7$ $0.2 \times 8 = 1.6$
3 $0.6 \times 8 = 4.8$ $0.5 \times 5 = 2.5$ $0.2 \times 9 = 1.8$
4 $0.2 \times 6 = 1.2$ $0.4 \times 8 = 3.2$ $0.3 \times 5 = 1.5$
5 $0.12 \times 3 = 0.36$ $0.43 \times 2 = 0.86$
  $0.37 \times 4 = 1.48$
6 $0.52 \times 4 = 2.08$ $0.16 \times 3 = 0.48$
  $0.61 \times 2 = 1.22$
7 $0.75 \times 3 = 2.25$ $0.87 \times 2 = 1.74$
  $0.69 \times 4 = 2.76$
8 $0.33 \times 2 = 0.66$ $0.53 \times 4 = 2.12$
  $0.62 \times 3 = 1.86$
9 $0.3 \times 7 = 2.1$ / $0.9 \times 5 = 4.5$
10 $0.2 \times 4 = 0.8$ / $0.7 \times 6 = 4.2$
11 $0.8 \times 8 = 6.4$ / $0.6 \times 3 = 1.8$
12 $0.9 \times 7 = 6.3$ / $0.4 \times 4 = 1.6$
13 $0.11 \times 9 = 0.99$ / $0.29 \times 3 = 0.87$
14 $0.45 \times 3 = 1.35$ / $0.56 \times 4 = 2.24$
15 $0.76 \times 2 = 1.52$ / $0.35 \times 7 = 2.45$
16 $0.23 \times 5 = 1.15$ / $0.46 \times 6 = 2.76$

78~79쪽 원리 ❷

1 51, 51, 4, 204, 20.4
2 19, 19, 6, 114, 11.4
3 47, 47, 6, 282, 28.2
4 65, 65, 3, 195, 19.5
5 108, 108, 9, 972, 9.72
6 153, 153, 3, 459, 4.59
7 217, 217, 5, 1085, 10.85
8 423, 423, 4, 1692, 16.92
9 63.2
10 7.5
11 11.6
12 25.2
13 21.5
14 31.8
15 14.36
16 24.12
17 4.02
18 16.56
19 9.75
20 20.84

80~81쪽 연습 ❷

1 11.5
2 26.4
3 36.4
4 6.5
5 22.4
6 45.6
7 26.8
8 6.4
9 31.5
10 6.2
11 37.6
12 15.6
13 22.5
14 32.8
15 2.62
16 37.65
17 13.16
18 61.88
19 12.16
20 20.92
21 28.44
22 58.86
23 49.25
24 13.44
25 6.26
26 8.76
27 8.68 / 8.68 cm²

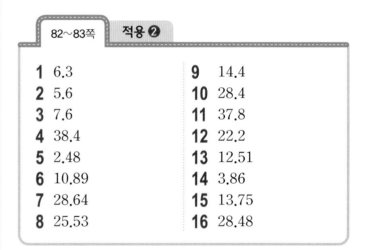

22
```
    4 3
  6.5 4
×     9
5 8 8 6
```
23
```
    4 2
  9.8 5
×     5
4 9 2 5
```
24
```
  1 2
  2.2 4
×     6
1 3 4 4
```
25
```
  3.1 3
×     2
6 2 6
```
26
```
    2
  2.9 2
×     3
8 7 6
```
27
```
  4.3 4
×     2
8 6 8
```

82~83쪽 적용 ❷

1 6.3
2 5.6
3 7.6
4 38.4
5 2.48
6 10.89
7 28.64
8 25.53
9 14.4
10 28.4
11 37.8
12 22.2
13 12.51
14 3.86
15 13.75
16 28.48

1 $2.1 \times 3 = 6.3$
2 $1.4 \times 4 = 5.6$
3 $3.8 \times 2 = 7.6$
4 $6.4 \times 6 = 38.4$
5 $1.24 \times 2 = 2.48$
6 $3.63 \times 3 = 10.89$
7 $7.16 \times 4 = 28.64$
8 $8.51 \times 3 = 25.53$
9 $2.4 \times 6 = 14.4$
10 $7.1 \times 4 = 28.4$
11 $5.4 \times 7 = 37.8$
12 $3.7 \times 6 = 22.2$
13 $4.17 \times 3 = 12.51$
14 $1.93 \times 2 = 3.86$
15 $2.75 \times 5 = 13.75$
16 $3.56 \times 8 = 28.48$

84～85쪽 원리 ❸

1 4, 2, 4, 8, 0.8
2 8, 4, 8, 32, 3.2
3 9, 8, 9, 72, 7.2
4 7, 5, 7, 35, 3.5
5 12, 6, 12, 72, 0.72
6 36, 3, 36, 108, 1.08
7 74, 7, 74, 518, 5.18
8 56, 9, 56, 504, 5.04
9 1.5
10 1.2
11 5.6
12 2.4
13 1.8
14 2.1
15 0.52
16 2.16
17 2.94
18 2.72
19 4.38
20 1.15

86～87쪽 연습 ❸

1 3.6, 0.36
2 4.2, 0.42
3 3.6, 0.36
4 4.5, 0.45
5 1.4, 0.14
6 2.4, 0.24
7 7.2, 0.72
8 6.3, 0.63
9 5.5, 0.55
10 9.1, 0.91
11 21.5, 2.15
12 14.4, 1.44
13 0.4
14 2
15 8.1
16 4.8
17 6.8
18 3.3
19 5.76
20 1.38
21 5.06
22 7.28
23 6.84
24 1.68
25 32.4 / 약 32.4 kg

22
$$\begin{array}{r} 5\ 2 \\ \times\ 0.1\ 4 \\ \hline 7.2\ 8 \end{array}$$

23
$$\begin{array}{r} 3\ 8 \\ \times\ 0.1\ 8 \\ \hline 6.8\ 4 \end{array}$$

24
$$\begin{array}{r} {}^{2} \\ 2\ 4 \\ \times\ 0.0\ 7 \\ \hline 1.6\ 8 \end{array}$$

25
$$\begin{array}{r} {}^{5} \\ 3\ 6 \\ \times\ 0.9 \\ \hline 3\ 2.4 \end{array}$$

88～89쪽 적용 ❸

1 2.7
2 1.6
3 0.6
4 3
5 4.9
6 0.18
7 0.36
8 2.08
9 8.82
10 7.75
11 0.2 / 0.3
12 2.8 / 4.2
13 7.2 / 12
14 2.4 / 4.4
15 0.72 / 0.27
16 12.24 / 9.18
17 4.16 / 5.85
18 4.25 / 5.25

1 $3 \times 0.9 = 2.7$
2 $4 \times 0.4 = 1.6$
3 $2 \times 0.3 = 0.6$
4 $6 \times 0.5 = 3.\cancel{0}$ → 오른쪽 끝자리 0은 생략합니다.
5 $7 \times 0.7 = 4.9$
6 $9 \times 0.02 = 0.18$
7 $12 \times 0.03 = 0.36$
8 $13 \times 0.16 = 2.08$
9 $21 \times 0.42 = 8.82$
10 $31 \times 0.25 = 7.75$
11 $2 \times 0.1 = 0.2$ / $3 \times 0.1 = 0.3$
12 $4 \times 0.7 = 2.8$ / $6 \times 0.7 = 4.2$
13 $9 \times 0.8 = 7.2$ / $15 \times 0.8 = 12.\cancel{0}$
14 $6 \times 0.4 = 2.4$ / $11 \times 0.4 = 4.4$
15 $8 \times 0.09 = 0.72$ / $3 \times 0.09 = 0.27$
16 $24 \times 0.51 = 12.24$ / $18 \times 0.51 = 9.18$
17 $32 \times 0.13 = 4.16$ / $45 \times 0.13 = 5.85$
18 $17 \times 0.25 = 4.25$ / $21 \times 0.25 = 5.25$

90~91쪽 원리 ④

1 19, 5, 19, 95, 9.5
2 27, 4, 27, 108, 10.8
3 32, 6, 32, 192, 19.2
4 74, 3, 74, 222, 22.2
5 201, 2, 201, 402, 4.02
6 194, 3, 194, 582, 5.82
7 416, 7, 416, 2912, 29.12
8 321, 20, 321, 6420, 64.2
9 10.4
10 13.8
11 10.8
12 23.4
13 18.5
14 25.2
15 21.21
16 12.48
17 64.2
18 12.75
19 18.72
20 48.24

92~93쪽 연습 ④

1 36.3, 3.63
2 48.6, 4.86
3 92.5, 9.25
4 251.2, 25.12
5 240.8, 24.08
6 563.2, 56.32
7 252.6, 25.26
8 96.6, 9.66
9 487.8, 48.78
10 133.2, 13.32
11 48.9, 4.89
12 730, 73

13 12.8
14 15.3
15 10.5
16 16
17 7.4
18 32.5
19 3.48
20 8.32
21 14.91
22 8.82
23 78.4
24 151.8
25 81 / 81 kg

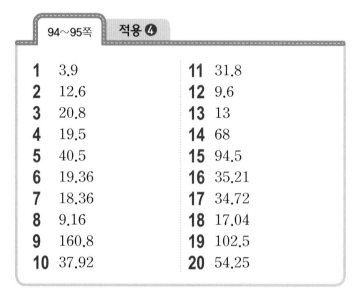

24
$$\begin{array}{r} 3\,0 \\ \times\ 5.0\,6 \\ \hline 1\,5\,1.8\,\cancel{0} \end{array}$$

25
$$\begin{array}{r} 4\,5 \\ \times\ 1.8 \\ \hline 8\,1.\cancel{0} \end{array}$$

94~95쪽 적용 ④

1 3.9
2 12.6
3 20.8
4 19.5
5 40.5
6 19.36
7 18.36
8 9.16
9 160.8
10 37.92

11 31.8
12 9.6
13 13
14 68
15 94.5
16 35.21
17 34.72
18 17.04
19 102.5
20 54.25

1 $3 \times 1.3 = 3.9$
2 $7 \times 1.8 = 12.6$
3 $4 \times 5.2 = 20.8$
4 $5 \times 3.9 = 19.5$
5 $9 \times 4.5 = 40.5$
6 $8 \times 2.42 = 19.36$
7 $6 \times 3.06 = 18.36$
8 $2 \times 4.58 = 9.16$
9 $40 \times 4.02 = 160.8\cancel{0}$
10 $12 \times 3.16 = 37.92$
11 $6 \times 5.3 = 31.8$
12 $2 \times 4.8 = 9.6$
13 $5 \times 2.6 = 13.\cancel{0}$
14 $20 \times 3.4 = 68.\cancel{0}$
15 $15 \times 6.3 = 94.5$
16 $7 \times 5.03 = 35.21$
17 $8 \times 4.34 = 34.72$
18 $4 \times 4.26 = 17.04$
19 $50 \times 2.05 = 102.5\cancel{0}$
20 $31 \times 1.75 = 54.25$

96~97쪽 **원리 ❺**

1 3, 9, 3, 9, 27, 0.27
2 6, 8, 6, 8, 48, 0.48
3 4, 9, 4, 9, 36, 0.36
4 5, 4, 5, 4, 20, 0.02
5 42, 2, 42, 2, 84, 0.084
6 4, 58, 4, 58, 232, 0.232
7 9, 15, 9, 15, 135, 0.0135
8 34, 43, 34, 43, 1462, 0.1462
9 0.16
10 0.28
11 0.24
12 0.42
13 0.45
14 0.21
15 0.063
16 0.056
17 0.225
18 0.256
19 0.288
20 0.135

98~99쪽 **연습 ❺**

1 0.56, 0.056
2 0.32, 0.032
3 0.21, 0.021
4 0.25, 0.025
5 0.06, 0.006
6 0.112, 0.0112
7 0.106, 0.0106
8 0.096, 0.0096
9 0.105, 0.0105
10 0.584, 0.0584
11 0.2, 0.02
12 0.144, 0.0144

13 0.14
14 0.12
15 0.4
16 0.35
17 0.022
18 0.093
19 0.174
20 0.0672
21 0.0432
22 0.024
23 0.234
24 0.147
25 0.195 / 0.195 kg

22
$$\begin{array}{r} \overset{4}{0.4\,8} \\ \times\ 0.0\,5 \\ \hline 0.0\,2\,4\,\cancel{0} \end{array}$$

23
$$\begin{array}{r} 0.6\,5 \\ \times\ 0.3\,6 \\ \hline 0.2\,3\,4\,\cancel{0} \end{array}$$

24
$$\begin{array}{r} 0.7 \\ \times\ 0.2\,1 \\ \hline 0.1\,4\,7 \end{array}$$

25
$$\begin{array}{r} 0.3 \\ \times\ 0.6\,5 \\ \hline 0.1\,9\,5 \end{array}$$

100~101쪽 **적용 ❺**

1 0.06
2 0.54
3 0.09
4 0.16
5 0.063
6 0.027
7 0.063
8 0.1824
9 0.25
10 0.08
11 0.03
12 0.64
13 0.18
14 0.14
15 0.076
16 0.077
17 0.0351
18 0.1488

1 $0.3 \times 0.2 = 0.06$
2 $0.9 \times 0.6 = 0.54$
3 $0.1 \times 0.9 = 0.09$
4 $0.4 \times 0.4 = 0.16$
5 $0.07 \times 0.9 = 0.063$
6 $0.09 \times 0.3 = 0.027$
7 $0.42 \times 0.15 = 0.063\cancel{0}$
8 $0.76 \times 0.24 = 0.1824$
9 $0.5 \times 0.5 = 0.25$
10 $0.2 \times 0.4 = 0.08$
11 $0.3 \times 0.1 = 0.03$
12 $0.8 \times 0.8 = 0.64$
13 $0.6 \times 0.3 = 0.18$
14 $0.5 \times 0.28 = 0.14\cancel{0}$
15 $0.19 \times 0.4 = 0.076$
16 $0.35 \times 0.22 = 0.077\cancel{0}$
17 $0.27 \times 0.13 = 0.0351$
18 $0.93 \times 0.16 = 0.1488$

102~103쪽 **원리 ❻**

1 13, 24, 13, 24, 312, 3.12
2 75, 34, 75, 34, 2550, 25.5
3 69, 42, 69, 42, 2898, 28.98
4 56, 59, 56, 59, 3304, 33.04
5 248, 16, 248, 16, 3968, 3.968
6 212, 34, 212, 34, 7208, 7.208
7 46, 317, 46, 317, 14582, 14.582
8 58, 936, 58, 936, 54288, 54.288
9 10.53
10 17.28
11 3.15
12 6.324
13 7.181
14 4.522
15 8.32
16 7.7
17 3.808
18 3.105
19 7.552
20 8.307

104~105쪽 **연습 ❻**

1 16.32, 1.632
2 51.25, 5.125
3 78.78, 7.878
4 69.84, 6.984
5 73.36, 7.336
6 49.35, 4.935
7 58.94, 5.894
8 44.52, 4.452
9 53.46, 5.346
10 257.6, 2.576
11 14, 14
12 21.424, 2.1424

13 1.32
14 8.28
15 8
16 10.08
17 18.04
18 9.6
19 10.686
20 7.56
21 19.341
22 7.2698
23 2.4054
24 2.704
25 6.6 / 6.6 kg

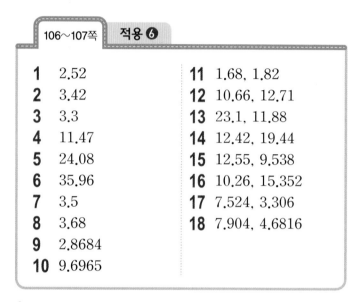

22
```
      3.2 6
  ×   2.2 3
  7.2 6 9 8
```

23
```
      2.1 1
  ×   1.1 4
  2.4 0 5 4
```

24
```
      2.0 8
  ×     1.3
  2.7 0 4
```

25
```
      5.5
  ×   1.2
  6.6 0̸
```

106~107쪽 **적용 ❻**

1 2.52
2 3.42
3 3.3
4 11.47
5 24.08
6 35.96
7 3.5
8 3.68
9 2.8684
10 9.6965

11 1.68, 1.82
12 10.66, 12.71
13 23.1, 11.88
14 12.42, 19.44
15 12.55, 9.538
16 10.26, 15.352
17 7.524, 3.306
18 7.904, 4.6816

1 $2.1 \times 1.2 = 2.52$
2 $1.8 \times 1.9 = 3.42$
3 $1.5 \times 2.2 = 3.3\cancel{0}$
4 $3.7 \times 3.1 = 11.47$
5 $5.6 \times 4.3 = 24.08$
6 $5.8 \times 6.2 = 35.96$
7 $1.4 \times 2.5 = 3.5\cancel{0}$
8 $1.15 \times 3.2 = 3.68\cancel{0}$
9 $2.84 \times 1.01 = 2.8684$
10 $4.73 \times 2.05 = 9.6965$
11 $1.4 \times 1.2 = 1.68$ / $1.4 \times 1.3 = 1.82$
12 $4.1 \times 2.6 = 10.66$ / $4.1 \times 3.1 = 12.71$
13 $6.6 \times 3.5 = 23.1\cancel{0}$ / $6.6 \times 1.8 = 11.88$
14 $5.4 \times 2.3 = 12.42$ / $5.4 \times 3.6 = 19.44$
15 $5.02 \times 2.5 - 12.55\cancel{0}$ / $5.02 \times 1.9 = 9.538$
16 $7.6 \times 1.35 = 10.26\cancel{0}$ / $7.6 \times 2.02 = 15.352$
17 $2.28 \times 3.3 = 7.524$ / $2.28 \times 1.45 = 3.306$
18 $3.04 \times 2.6 = 7.904$ / $3.04 \times 1.54 = 4.6816$

108~109쪽 **원리 7**

1 0.65, 6.5, 65, 650
2 2.56, 25.6, 256, 2560
3 7.36, 73.6, 736, 7360
4 5.84, 58.4, 584, 5840
5 6.92, 69.2, 692, 6920
6 27.35, 273.5, 2735, 27350
7 3670, 367, 36.7, 3.67
8 190, 19, 1.9, 0.19
9 274, 27.4, 2.74, 0.274
10 2802, 280.2, 28.02, 2.802
11 732, 73.2, 7.32, 0.732
12 604, 60.4, 6.04, 0.604
13 4792, 479.2, 47.92, 4.792
14 1504, 150.4, 15.04, 1.504
15 3726, 372.6, 37.26, 3.726
16 463, 46.3, 4.63, 0.463

110~111쪽 **연습 7**

1 32.8
2 609
3 1641
4 8230
5 9340
6 154.5
7 2136
8 226.7
9 12.5
10 198.4
11 8451
12 276.2
13 9612
14 470.3

15 14
16 38.8
17 5.47
18 2.13
19 7.74
20 2.331
21 54.12
22 9.96
23 15.8
24 50.2
25 48
26 25
27 0.86 / 0.86 cm

10 소수 1.984에 100을 곱했으므로 곱의 소수점이 오른쪽으로 2칸 옮겨집니다.
➡ $1.984 \times 100 = 198.4$

12 소수 27.62에 10을 곱했으므로 곱의 소수점이 오른쪽으로 1칸 옮겨집니다.
➡ $27.62 \times 10 = 276.2$

20 자연수 2331에 0.001을 곱했으므로 곱의 소수점이 왼쪽으로 3칸 옮겨집니다.
➡ $2331 \times 0.001 = 2.331$

25 자연수 480에 0.1을 곱했으므로 곱의 소수점이 왼쪽으로 1칸 옮겨집니다.
➡ $480 \times 0.1 = 48$

27 자연수 86에 0.01을 곱했으므로 곱의 소수점이 왼쪽으로 2칸 옮겨집니다.
➡ $86 \times 0.01 = 0.86$

112~113쪽 **적용 7**

1 15.2, 1520
2 80.5, 8050
3 622.3, 6223
4 78.4, 7840
5 135.2, 1352
6 23, 2.3
7 19.5, 0.195
8 26.6, 0.266
9 98.54, 9.854
10 367.3, 3.673
11 87×0.1, 870×0.01
12 56×1, 560×0.1
13 13×0.1, 0.13×10
14 950×0.01, 95×0.1
15 37×0.1, 370×0.01
16 0.42×100, 4.2×10
17 0.36×0.1, 36×0.001
18 1680×0.01, 168×0.1
19 5.416×100, 5416×0.1
20 327×0.01, 32.7×0.1

1 $1.52 \times 10 = 15.2$ / $15.2 \times 100 = 1520$
2 $8.05 \times 10 = 80.5$ / $80.5 \times 100 = 8050$
3 $62.23 \times 10 = 622.3$ / $622.3 \times 10 = 6223$
4 $0.784 \times 100 = 78.4$ / $78.4 \times 100 = 7840$
5 $1.352 \times 100 = 135.2$ / $135.2 \times 10 = 1352$

6 $230 \times 0.1 = 23$ / $23 \times 0.1 = 2.3$

7 $195 \times 0.1 = 19.5$ / $19.5 \times 0.01 = 0.195$

8 $2660 \times 0.01 = 26.6$ / $26.6 \times 0.01 = 0.266$

9 $9854 \times 0.01 = 98.54$ / $98.54 \times 0.1 = 9.854$

10 $3673 \times 0.1 = 367.3$ / $367.3 \times 0.01 = 3.673$

11 $87 \times 0.1 = 8.7$

$8.7 \times 10 = 87$

$870 \times 0.01 = 8.7$

12 $56 \times 1 = 56$

$560 \times 0.1 = 56$

$5.6 \times 100 = 560$

13 $1300 \times 0.01 = 13$

$13 \times 0.1 = 1.3$

$0.13 \times 10 = 1.3$

14 $950 \times 0.01 = 9.5$

$95 \times 0.1 = 9.5$

$9.5 \times 10 = 95$

15 $37 \times 0.1 = 3.7$

$3.7 \times 10 = 37$

$370 \times 0.01 = 3.7$

16 $420 \times 0.01 = 4.2$

$0.42 \times 100 = 42$

$4.2 \times 10 = 42$

17 $0.36 \times 0.1 = 0.036$

$360 \times 0.01 = 3.6$

$36 \times 0.001 = 0.036$

18 $1680 \times 0.01 = 16.8$

$168 \times 0.1 = 16.8$

$16.8 \times 100 = 1680$

19 $541.6 \times 10 = 5416$

$5.416 \times 100 = 541.6$

$5416 \times 0.1 = 541.6$

20 $327 \times 0.01 = 3.27$

$32.7 \times 0.1 = 3.27$

$3.27 \times 10 = 32.7$

1	5.6	**17**	2.34
2	3	**18**	1.872
3	0.72	**19**	2.925
4	5.1	**20**	4.379
5	8.8	**21**	690
6	9.57	**22**	18550
7	1.2	**23**	241
8	2.2	**24**	0.68
9	3.65	**25**	9.9
10	8.4	**26**	14
11	39	**27**	6.4
12	7.56	**28**	9.94
13	0.1	**29**	0.49
14	0.279	**30**	1.624
15	0.306	**31**	88.6, 8860
16	0.189	**32**	544, 5.44

7
$$\begin{array}{r} 3 \\ \times\ 0.4 \\ \hline 1.2 \end{array}$$

10
$$\begin{array}{r} 2 \\ \times\ 4.2 \\ \hline 8.4 \end{array}$$

13
$$\begin{array}{r} 0.2 \\ \times\ 0.5 \\ \hline 0.1\,\cancel{0} \end{array}$$ → 오른쪽 끝자리 0은 생략합니다.

17
$$\begin{array}{r} 1.3 \\ \times\ 1.8 \\ \hline 2.3\,4 \end{array}$$

22 18.55×1000 ➡ 소수점이 오른쪽으로 3칸 옮겨집니다.

23 2410×0.1 ➡ 소수점이 왼쪽으로 1칸 옮겨집니다.

24 680×0.001 ➡ 소수점이 왼쪽으로 3칸 옮겨집니다.

25 $0.9 \times 11 = 9.9$

26 $2.8 \times 5 = 14.\cancel{0}$

27 $16 \times 0.4 = 6.4$

28 $7 \times 1.42 = 9.94$

29 $0.7 \times 0.7 = 0.49$

30 $1.16 \times 1.4 = 1.624$

31 $8.86 \times 10 = 88.6$ / $88.6 \times 100 = 8860$

32 $5440 \times 0.1 = 544$ / $544 \times 0.01 = 5.44$

4 평균

1 1 / 5, 5, 5

2 2 / 4, 4, 4

3 3 / 8, 8, 8

4 2 / 7, 7, 7

5 3, 1 / 4, 4, 4, 4, 4

6 2, 4 / 6, 6, 6, 6, 6

7 $\dfrac{2+4+6+8}{4}=\dfrac{20}{4}=5$

8 $\dfrac{5+7+8+12}{4}=\dfrac{32}{4}=8$

9 $\dfrac{6+9+2+7}{4}=\dfrac{24}{4}=6$

10 $\dfrac{10+20+30+40}{4}=\dfrac{100}{4}=25$

11 $\dfrac{15+45+25+35}{4}=\dfrac{120}{4}=30$

12 $\dfrac{8+3+7+6+1}{5}=\dfrac{25}{5}=5$

13 $\dfrac{12+14+21+17+16}{5}=\dfrac{80}{5}=16$

14 $\dfrac{50+35+40+70+65}{5}=\dfrac{260}{5}=52$

1 5

2 7

3 6

4 8

5 40

6 8

7 70

8 18

9 25

10 33

11 235

12 30

13 3

14 8

15 10

16 12

17 27

18 16

19 32

20 51

21 110

22 70

23 5개

4 (평균)$=\dfrac{6+9+8+9}{4}=\dfrac{32}{4}=8$

5 (평균)$=\dfrac{20+30+40+70}{4}=\dfrac{160}{4}=40$

6 (평균)$=\dfrac{10+5+9+8}{4}=\dfrac{32}{4}=8$

10 (평균)$=\dfrac{32+34+30+36}{4}=\dfrac{132}{4}=33$

11 (평균)$=\dfrac{100+180+260+400}{4}=\dfrac{940}{4}=235$

12 (평균)$=\dfrac{31+32+29+28}{4}=\dfrac{120}{4}=30$

16 (평균)$=\dfrac{10+12+15+9+14}{5}=\dfrac{60}{5}=12$

17 (평균)$=\dfrac{20+16+22+30+47}{5}=\dfrac{135}{5}=27$

18 (평균)$=\dfrac{14+16+19+13+18}{5}=\dfrac{80}{5}=16$

21 (평균)$=\dfrac{120+150+100+70+110}{5}=\dfrac{550}{5}=110$

22 (평균)$=\dfrac{83+70+58+73+66}{5}=\dfrac{350}{5}=70$

23 $\dfrac{6+3+6+8+2}{5}=\dfrac{25}{5}=5$(개)

1 5개

2 6개

3 4개

4 5권

5 30분

6 24 m

7 41개

8 23명

9 3점

10 7℃

11 6개

12 9점

13 35분

14 60분

15 40 kg

16 17명

1 $\dfrac{3+5+4+8}{4}=\dfrac{20}{4}=5$(개)

2 $\dfrac{6+5+7+6}{4}=\dfrac{24}{4}=6$(개)

3 $\dfrac{4+2+5+5}{4}=\dfrac{16}{4}=4$(개)

4 $\dfrac{1+4+7+8}{4}=\dfrac{20}{4}=5$(권)

5 $\dfrac{40+30+20+30}{4}=\dfrac{120}{4}=30(분)$

6 $\dfrac{25+33+18+20}{4}=\dfrac{96}{4}=24(m)$

7 $\dfrac{40+38+42+44}{4}=\dfrac{164}{4}=41(개)$

8 $\dfrac{22+24+25+21}{4}=\dfrac{92}{4}=23(명)$

9 $\dfrac{2+3+5+1+4}{5}=\dfrac{15}{5}=3(점)$

10 $\dfrac{8+7+6+7+7}{5}=\dfrac{35}{5}=7(℃)$

11 $\dfrac{6+4+8+5+7}{5}=\dfrac{30}{5}=6(개)$

12 $\dfrac{10+8+9+10+8}{5}=\dfrac{45}{5}=9(점)$

13 $\dfrac{20+40+30+40+45}{5}=\dfrac{175}{5}=35(분)$

14 $\dfrac{60+50+45+65+80}{5}=\dfrac{300}{5}=60(분)$

15 $\dfrac{36+42+48+34+40}{5}=\dfrac{200}{5}=40(kg)$

16 $\dfrac{18+15+21+16+15}{5}=\dfrac{85}{5}=17(명)$

8 $(평균)=\dfrac{36+41+30+25}{4}=\dfrac{132}{4}=33$

9 $(평균)=\dfrac{48+55+39+58}{4}=\dfrac{200}{4}=50$

10 $(평균)=\dfrac{200+130+110+120}{4}=\dfrac{560}{4}=140$

11 $(평균)=\dfrac{4+6+8+9+13}{5}=\dfrac{40}{5}=8$

12 $(평균)=\dfrac{16+10+12+14+3}{5}=\dfrac{55}{5}=11$

13 $(평균)=\dfrac{21+22+25+20+27}{5}=\dfrac{115}{5}=23$

14 $(평균)=\dfrac{35+32+30+24+29}{5}=\dfrac{150}{5}=30$

15 $(평균)=\dfrac{18+26+28+20+33}{5}=\dfrac{125}{5}=25$

16 $(평균)=\dfrac{50+45+42+47+46}{5}=\dfrac{230}{5}=46$

17 $(평균)=\dfrac{30+35+40+38+47}{5}=\dfrac{190}{5}=38$

18 $(평균)=\dfrac{75+80+70+84+61}{5}=\dfrac{370}{5}=74$

19 $(평균)=\dfrac{150+140+160+130+170}{5}$
$=\dfrac{750}{5}=150$

20 $(평균)=\dfrac{220+200+180+240+210}{5}$
$=\dfrac{1050}{5}=210$

21 $\dfrac{6+4+3+3}{4}=\dfrac{16}{4}=4(명)$

22 $\dfrac{2+5+4+1}{4}=\dfrac{12}{4}=3(kg)$

23 $\dfrac{36+52+48+40}{4}=\dfrac{176}{4}=44(개)$

24 $\dfrac{45+42+12+9}{4}=\dfrac{108}{4}=27(살)$

25 $\dfrac{4+5+2+1+3}{5}=\dfrac{15}{5}=3(권)$

26 $\dfrac{10+9+7+8+6}{5}=\dfrac{40}{5}=8(시간)$

27 $\dfrac{30+45+40+35+50}{5}=\dfrac{200}{5}=40(분)$

28 $\dfrac{500+600+850+750+550}{5}$
$=\dfrac{3250}{5}=650(원)$

초능력 수학 연산 5·2

정답 및
풀이

하루 2쪽
10분 완성

초능력 수학 연산